Eduard Márquez

Im Schutz der Nacht

Roman

Aus dem Katalanischen von
Ilse Layer

Deutscher Taschenbuch Verlag

Von Eduard Márquez
ist im Deutschen Taschenbuch Verlag erschienen:
Das Schweigen der Bäume (24401)

Der Verlag dankt dem Institut Ramon Llull
für die finanzielle Förderung der vorliegenden Übersetzung.

LLLL institut
ramon llull

Deutsche Erstausgabe
November 2005
Deutscher Taschenbuch Verlag GmbH & Co. KG,
München
www.dtv.de
© 2000 Eduard Márquez
Titel der katalanischen Originalausgabe:
›Cinc nits de febrer‹
(Quaderns Crema, Barcelona 2000)
© 2005 der deutschsprachigen Ausgabe:
Deutscher Taschenbuch Verlag GmbH & Co. KG,
München
Umschlagkonzept: Balk & Brumshagen
Umschlaggestaltung: Stephanie Weischer unter Verwendung
einer Fotografie von © Visum / buchcover.com / José Manuel Navia
Satz: Greiner & Reichel, Köln
Gesetzt aus der Goudy Oldstyle 10,5/14,5˙
Druck und Bindung: Kösel, Krugzell
Gedruckt auf säurefreiem, chlorfrei gebleichtem Papier
Printed in Germany · ISBN 3-423-24492-5

Für Maru

»Es ist die Suche, die der Begegnung
den wahrhaften Sinn verleiht.«
JOSÉ SARAMAGO

»Kein Gedächtnis ist gut genug,
um sich der Vergangenheit
bis ins kleinste Detail zu entsinnen.«
RICHARD FORD

I

Ich hätte nicht herkommen sollen. Der Gedanke lähmt Lars Belden und drückt ihn mit dem Rücken gegen die Wohnungstür.

Regen peitscht ans Oberlicht zum Innenhof. Hallt nach. Verzerrt das zerbrechliche Bewußtsein der Stille.

Lars Beldens Augen müssen sich erst ans Halbdunkel gewöhnen. Er erinnert sich noch ganz genau an die Anordnung der Zimmer und Möbel, fürchtet jedoch, gegen irgendeinen neuen oder umgestellten Gegenstand zu stoßen.

Der Eingangsbereich ist unverändert. Die schwarze Garderobe übervoll. Der Tisch mit dem Unterbau einer Singer-Nähmaschine, dessen Glasplatte unter einer Tischdecke verborgen ist. Die schwarzweiße Luftaufnahme der Île de la Cité.

Lars Belden verharrt noch immer reglos an der Tür. Er achtet auf jeden Laut – das Geräusch eines Radios, einer Wasserspülung, einer sich schließenden Tür –, um die Last der Angst erträglicher zu machen. Plötzlich bemerkt er, daß er nicht gewußt hätte, wie reagieren, wenn jemand ihn mit dem Schlüssel im Schloß überrascht hätte. Von allen Möglichkeiten bin ich nicht auf die nächstliegende gekommen, sagt er sich voller Bedauern und holt tief Luft, um das beklemmende Gefühl loszuwerden, das ihm die Kehle zusammenschnürt. Doch es will ihm nicht gelingen. Er versucht es schon, seit er beschlossen hat, Sela Hubers Wohnung aufzusuchen. Jetzt bereut er es. Und fürchtet, die Kontrolle über die Situation zu verlieren.

Kälte. Schatten.

Der Regen fällt jetzt in dicken Tropfen. Rinnt langsam an den Scheiben herunter.

Das Gefühl, von einer Art krankhafter Gefühlsduselei mitgerissen worden zu sein, ist ihm unangenehm. Nach so langer Zeit hätte Sela Hubers Tod allenfalls Bestürzung in ihm auslösen, ihn vielleicht für ein paar Stunden oder Tage aus dem Gleichgewicht bringen, ihn jedoch keinesfalls hierherführen dürfen.

Ein ums andere Mal hat er ihre Todesanzeige gelesen und auf eine Eingebung gewartet, wie er sie Lügen strafen konnte. Vielleicht ist es gar nicht dieselbe Sela Huber: Das hat er sich immer wieder gesagt, während seine tränennassen Augen über die Zeitungsseite schweiften auf der Suche nach einem Halt, der ihn die Nachricht aus dem Gedächtnis streichen und weiterleben lassen würde, als habe es den Trauerrand um Sela Hubers Namen nie gegeben. Doch innerhalb von Sekunden hat ein Strudel von Erinnerungen den zarten Pulsschlag seiner Wehmut beschleunigt. Und unter der Last des Kummers hat die Mauer schließlich nachgegeben, die er in all den Jahren errichtet hatte, um sein Inneres vor dem unbegreiflichen Verlust zu schützen.

Die Schlüssel in der geballten Faust bohren sich ihm ins Fleisch. *Damit du nicht auf der Straße warten mußt, falls du einmal vor mir da sein solltest.* Sela Huber hatte es bei gelegentlichen Verabredungen belassen wollen. Sie war jedem Gespräch über ein eventuelles Zusammenziehen aus dem Weg gegangen, und so hatte ihre Beziehung aus einer unvorhersehbaren Reihe von gemeinsam verbrachten Nächten und Wochenenden bestanden. Nach der Trennung hatte Lars Belden die Schlüssel aufbewahrt, als könnten nur sie ihm irgendwann Zugang zu ihrem Geheimnis verschaffen. Es beruhigte ihn, zu wissen, daß er sie jederzeit als Bindeglied zu einer der intensivsten Phasen seines Lebens einsetzen konnte.

Lars Belden geht nun ins Wohnzimmer, das zur Straße hin liegt. Ohne Licht zu machen, tritt er ans Fenster und stößt die Läden auf.

Das vom Regen zerfaserte gelbe Licht der Straßenlaternen taucht den Raum in gebieterische Kälte. Auf der gegenüberliegenden Straßenseite nur ein einziges erleuchtetes Fenster. Der Gehweg, menschenleer und glänzend vor Nässe.

Er ist zu Fuß gekommen, um sich Zeit zu geben und aus dem Zwiespalt herauszukommen, der ihn quält, seit er die Todesanzeige gelesen hat. Am besten wäre es, wenn sie gar nicht mehr dort wohnen oder der Schlüssel nicht mehr passen würde. Das ist sogar am wahrscheinlichsten. Doch ihr

Name am Briefkasten, ganz allein unter dem vergilbten Plastikschutz, und das Klicken des Schnappschlosses haben ihn vorangetrieben.

Die Einrichtung des Wohnzimmers entspricht seiner Erinnerung. Die Regale voller Bücher, die beiden Sessel, das Sofa, der Teppich, das Bild über der Kommode.

Lars Belden setzt sich in einen der Sessel und läßt den Blick umherschweifen.

Immer stärker durchdringen das gelegentliche Brummen eines vorbeifahrenden Autos und das anhaltende Rauschen des Regens die Stille und beginnen ihre Topographie zu beherrschen.

Er hatte immer geglaubt, daß der Zufall ihm irgendwann ein Wiedersehen mit Sela Huber bescheren würde, und es sich bis ins kleinste Detail – den Ort, ihre Worte, ihr Mienenspiel – ausgemalt, doch hatte sich diese Hoffnung in all den Jahren nicht erfüllt. Niemals hätte er sich jedoch träumen lassen, daß Sela Huber unter der brüchigen Oberfläche der Zeit ohne sie mit solcher Vehemenz in ihm weiterexistieren könnte. Nachdem er die Todesanzeige gelesen hatte, hatte er nur noch den unbändigen, alles verzehrenden Drang verspürt, sich die gemeinsame Zeit noch einmal zu vergegenwärtigen. Die Idee, Sela Hubers Wohnung aufzusuchen, hatte sich ihm geradezu aufgezwungen, fast wie das letzte Kettenglied eines unausweichlichen Schicksals. Und das nicht so sehr, weil er dort Erklärungen oder Antworten zu finden hoffte, sondern weil er am Schauplatz der vielen miteinander verbrachten Stunden Empfindungen nachspüren wollte, die im Lauf der Jahre verblaßt waren.

Das gelbliche Straßenlicht verfärbt den Bezug des Sofas, auf dem er Sela Huber mit vom Weinen geröteten Augen sitzen sieht. Schon seit Tagen war sie ihm seltsam vorgekommen. Er hatte mit ihr zu reden versucht, aber sie hatte ihn nur mit einem jener entrückten Blicke angesehen, die ihm normalerweise keine andere Wahl ließen, als sich geschlagen zu geben und sie allein zu lassen, was er erst begriffen hatte, nachdem er sich an ihrer mürrischen Verschlossenheit mehrmals die Zähne ausgebissen hatte. Aus einem unbestimmten Gefühl heraus hatte Lars Belden an jenem Tag jedoch nicht lockergelassen. Genau wie damals, als er auf eine Reaktion gewartet hatte, hört er nun die Zweige der Platane über das Balkongeländer streifen. Sela Huber hatte mit ihrer Antwort gezögert.

»Ich weiß nicht, ob wir zusammenbleiben können.«

»Ob wir was?«

»Zusammenbleiben. Ob *ich* mit dir zusammenbleiben kann.«

»Und warum?«

»Ich weiß es nicht.«

»Ich nehme an, du weißt nicht, wie du es mir beibringen sollst. Das ist es doch, oder?«

»Schon möglich, aber ich will dir auf keinen Fall weh tun.«

»Wie bitte?«

Da hatte Sela Huber zu weinen begonnen. Und wie schon so viele Male zuvor war Lars Belden das Gefühl nicht losgeworden, nichts erreicht, nicht die richtigen Worte gefunden zu haben, um sie zu verstehen. Doch er wollte auf keinen Fall, daß all das Unausgesprochene sich gegen ihn wendete, und dieser Wunsch war stärker gewesen als sein Impuls zu gehen und die Tür hinter sich zuzuschlagen. Halbherzig hatte er sie getröstet, und dann hatten sie sich mit der fiebrigen Erregung geliebt, die dem Bedürfnis nach Verzeihen oder Vergessen entspringt. Anschließend hatte sich Sela Huber, schon im Halbschlaf, hilflos in seine Arme gekuschelt. Lars Belden sieht sie jetzt nackt und mit entspannter Miene vor sich und verspürt dabei die gleiche Verwirrung wie damals. Aus dem Blickwinkel heraus, den der zeitliche Anstand oder auch die Gesamtsicht der Dinge ermöglichen, erkennt er nun, daß seine Verlorenheit in jener Nacht für seine Beziehung mit Sela Huber bezeichnend war. Er hatte sie kennengelernt und sich in sie verliebt, doch obwohl er sich nie zuvor seiner Gefühle so sicher gewesen war, hatte er sich schwergetan, sie zu lieben, ohne sich völlig fehl am Platz zu fühlen. Irgend etwas war ihm zu distanziert, zu unnahbar vorgekommen.

Die Tropfen verformen die letzten Blätter des Winters.
Wind.

Anfangs hatten sie monatelang nur telefoniert. Der Lektor, der die Übersetzung von Sela Hubers Buch herausbringen wollte, hatte ihm ihre Telefonnummer gegeben, damit er seine Zweifelsfälle mit ihr besprechen konnte. Nach dem dritten oder vierten Anruf diente das Buch allerdings nur noch als Vorwand. Vor allem für Lars Belden. Der Wunsch, mehr über Sela Huber zu erfahren, ließ ihm keine Ruhe. Sie wahrte jedoch nervös Distanz und zeigte sich ihm gegenüber vorsichtig, angespannt, gelegentlich sogar kurz angebunden. Mit der Zeit, als brächte sie Lars' Absichten allmählich mit den ihren in Einklang, wich ihr anfängliches Mißtrauen dann einer Art Verbundenheit. Doch sobald er von einem Treffen sprach, trat am anderen Ende der Leitung ein überdeutliches, fast schmerzhaftes Schweigen ein.

Der Regen verdunkelt die Fassade auf der gegenüberliegenden Straßenseite und überzieht den Putz mit einer Landkarte aus Rinnsalen.

Ein Schatten in dem einzigen erleuchteten Fenster.

Jemand kommt die Treppe herauf. Seine nassen Schuhsohlen quietschen.

Lars Belden steht auf und schleicht in den Flur. Das Herz klopft ihm bis zum Hals. Er späht durch den Spion.

Der Mann geht vorbei. Sein Schirm hinterläßt eine tropfende Spur. Noch mehr Tropfen. Tränen. Selas Augen. *Ich will dir auf keinen Fall weh tun. – Wie bitte?*

Die Glühbirne über dem Treppenabsatz erlischt.

Kälte.

Lars Belden betritt Sela Hubers Schlafzimmer und knipst das Licht an.

Das ungemachte Bett, der kleine Zeiger des Weckers, der

die Zeit des Aufstehens anzeigt, die halboffene Schranktür, die klatschnasse Wäsche, die vor den Fenstern der Galerie zum Trocken aufgehängt wurde: all dies verstärkt noch den Eindruck von Alltäglichkeit. Als könnte Sela Huber jeden Moment zurückkommen.

Gedankenverloren blättert Lars Belden in dem Buch, das auf dem Nachttisch liegt. Das Lesezeichen mitten in einem Kapitel hat seinen Sinn verloren. Lars Belden weiß, daß Sela Huber ein System hatte, um die Seite zu markieren, auf der sie die Lektüre unterbrochen hatte, die rechte oder die linke, je nachdem, ob das Lesezeichen oben oder unten aus dem Buch ragte. Aber es ist seinem Gedächtnis entfallen. Wie so vieles andere auch. Das Vergessen hat ihm nur die verstreuten Wrackteile eines Schiffbruchs hinterlassen. Ohne einen Hinweis darauf, wie sie zusammenzufügen waren, um wieder ein stimmiges Ganzes zu erhalten.

Eine Geste. Der Ausdruck ihres Gesichts. Ihr Schweigen. Eine ob ihrer späteren Wirkung unbedachte Äußerung. *Ich bin mir sicher, daß jeder Blick auf der Oberfläche der Dinge Spuren hinterläßt.* Sela Huber sprach oft von dieser Spur der Blicke. Sie mochte die Vorstellung, daß die Gegenstände, die Landschaften oder auch die Menschen Blicke speichern konnten. Wenn es doch nur so wäre, denkt Lars Belden, dann wüßte ich jetzt, auf welcher Seite du aufgehört hast, und könnte dort weiterlesen, als lägest du mit geschlossenen Augen hier neben mir und hörtest mit deinem ganzen Körper zu. So, wie nur du zuhören konntest.

Doch Lars Belden vermag die Spur von Sela Hubers Blikken nicht zu entdecken. Und das Lesezeichen hilft ihm auch nicht weiter. Als er es in das Buch zurücklegen will, weiß er nicht mehr, wo genau es gesteckt hat.

Sela Hubers Leben war von Gewohnheiten geprägt. Von bestimmten Räumen, Gegenständen, einer gewissen Ordnung, festen Zeiten. Alles hatte etwas von einem Ritual, so als wollte sie zwischen dem, was sie gerade tat, und einer bestimmten Empfindung ganz bewußt eine unlösbare Verbindung schaffen. Der Ausflug in die Berge: ein ganzes Wochenende lang dieselbe Musik, auf der Hin- und Rückfahrt im Auto, bei den langen Wanderungen über ihren Walkman. Morgens, mittags und abends das gleiche Essen. An beiden Tagen dieselbe Kleidung. Dasselbe Parfüm – das sie danach nie wieder benutzte. All seine Versuche, eine Erklärung dafür zu finden, blieben erfolglos: Lars Belden konnte ihr nichts entlocken. Sela Huber hatte sich immer geweigert, über solche Dinge zu sprechen.

Das Schlafzimmer. Ihr Pyjama unter dem Kopfkissen. Lars Belden legt sich aufs Bett und schnuppert daran. Sein Geruch hat sich kaum verändert. Er läßt Lars Beldens Augen feucht werden und reißt ihn in einen Strudel von Erinnerungen hinein, deren Abfolge dem unvorhersehbaren Rhythmus des Zufalls unterworfen ist.

Der Regen fällt noch immer in dicken Tropfen. Rinnt über die Gehwegplatten und verliert sich zwischen deren schwarz verfärbten Fugen. Wie die ausgewaschenen Mäander des Gedächtnisses, wie die Kulissen einer Vergangenheit, über die zu sprechen sie nie imstande waren.

Sela Huber offenbarte ihm nur die Bühne, ihre äußere Schale, das, was Lars Belden auch im Gespräch mit Angehörigen oder Freunden hätte herausfinden können. Weiter ließ sie ihn nicht zu sich vordringen. Manchmal brachte sie ihre Eltern oder irgendeine Freundin ins Spiel, aber eigentlich trat sie meist allein auf. *Ich weiß nicht mehr, mit wem ich zusammen war ... Keine Ahnung, wer mich da begleitet hat ... Möglicherweise gab es da jemanden, aber es ist schon so lange her ... Ich weiß es nicht mehr.*

Kälte.

Lars Belden deckt sich mit ihrem Federbett zu.

»Warum läßt du nicht locker?«

»Weil ich gern alles über dich wissen möchte.«

»Und wozu soll das gut sein?«

»Zu gar nichts, das stimmt schon, aber das macht nun mal Freundschaft aus ... oder auch die Liebe ... Außerdem weißt du mehr über mich als ich über dich.«

»Das tut hier überhaupt nichts zur Sache ... Du hast es schließlich so gewollt. Ich habe dich nie darum gebeten.«

Sela Huber blickt ihn an, ohne ihn wirklich wahrzunehmen. Der gleiche Blick wie immer. Undurchdringlich. Eine Wand.

Der Wind zerrt an der Plastikfolie, die irgendwo schützend über eine Wäscheleine gespannt ist.

Sela Huber hatte sich immer geweigert, von den Männern

zu erzählen, mit denen sie einmal eine Beziehung gehabt hatte. Dann war ihr Schweigen aber stets anders gewesen. Rigoroser. Wenn Lars Belden ihr dennoch weiter zusetzte, reagierte sie auch nicht wie sonst. Eine Mischung aus Angst, Schmerz und Kummer durchtränkte alles. Verschleierte ihre Stimme und ihre Augen. Diese Stimmung hielt lange an, schwebte über ihnen wie eine undefinierbare Bedrohung.

Da wußte Lars Belden, daß er am besten verschwand und wartete, bis sie ihn anrief. Tage oder Wochen später. Ohne Erklärung oder Entschuldigung, so als sei nichts vorgefallen.

Doch obwohl es viele Bereiche gab, in denen ein Zusammenkommen unmöglich war, was es sehr schwierig machte, sie zu lieben, hatte Lars Belden noch nie jemanden wie sie kennengelernt. Niemanden. Weder vorher noch nachher. Möglicherweise waren seine anderen Beziehungen genauso intensiv gewesen, aber es hatte nie ein Geheimnis dahintergesteckt, sie waren alltäglicher, gewöhnlicher gewesen, getrübt von dem fatalen Gefühl der Leere, das einen beschleicht, wenn etwas allzu vorhersehbar ist.

Der Stuck und die Risse an der Decke ziehen ihn an, als habe er eine altbekannte Landschaft wiedergefunden. Viele Nächte hatten sie dort oben die Silhouetten von allerlei Dingen oder Tieren entdeckt. Lars Belden schließt die Augen und stellt sich vor, wie Sela Huber auf einen Fleck an der weißen Decke deutet. *Nein, weiter rechts, unter dem Riß in der Ecke. Eine Eidechse. Siehst du sie?* Wolken oder Konturen.

Wie die Figuren eines chinesischen Schattenspiels, die sich von den Umrissen ihrer flüchtigen Existenz losgesagt hatten, um dem Vergessen zu entrinnen, um fortzuleben.

Lars Belden schläft ein.

Der Sturm heult die ganze Nacht hindurch.

Am frühen Morgen schreckt ihn das Rasseln eines Weckers aus dem Schlaf. Sela Hubers Wecker hätte erst eine Dreiviertelstunde später geklingelt. Sie würde jetzt noch schlafen, wohl oder übel an den Tagesablauf ihrer Nachbarn gewöhnt.

Lars Belden richtet sich auf und betrachtet sich prüfend im Spiegel gegenüber. Blaß, mit Ringen unter den Augen, das Gesicht von einem alten, unauslöschlichen Schmerz zerfurcht.

Das milchige Licht des neuen Tages vertieft die Gewalt seiner Wehmut nur noch.

Ein zweiter Wecker schrillt.

Zum letzten Mal riecht Lars Belden an Sela Hubers Pyjama und legt ihn dann wieder unters Kopfkissen. Danach steckt er das Lesezeichen in seine Hosentasche. Und knipst die Nachttischlampe aus.

»Guten Morgen, Sela.«

Auf dem Weg zur Wohnungstür sieht er die offenen Fensterläden im Wohnzimmer. Zwar würde es bestimmt niemandem auffallen, aber er will dennoch jede Spur seines Besuchs tilgen. Als hätte es diese Nacht nie gegeben.

Lars Belden tritt ans Fenster.

Als er auf die Straße hinunterblickt, die im Regen daliegt wie ein wehrloser Patient, vermeint er, sich selbst in einem der Hauseingänge warten zu sehen. Da fallen ihm wieder die Tage nach Sela Hubers letztem Anruf ein, der zwischen all den anderen Nachrichten auf seinem Anrufbeantworter beinahe untergegangen wäre.

Es ist aus zwischen uns. Tut mir leid. Bitte such mich nicht. Ich hoffe, du kannst mir verzeihen.

Sie hatte mit bebender Stimme gesprochen, fast ohne Luft zu holen, als könnte die kleinste Unterbrechung ihres Redeflusses sie verraten. Oder sich in ein zweischneidiges Schwert verwandeln. Voll Überzeugung. Voll Reue.

Wieder und wieder hatte Lars Belden daraufhin bei ihr angerufen. Zu jeder Tages- und Nachtzeit. Danach hatte er sich ein paar Wochen lang vor Sela Hubers Haus postiert. Lange genug, um zu begreifen, daß er sie nie wiedersehen würde.

Er schließt die Fensterläden und wendet sich zum Gehen. Im Flur kommt er an einer geschlossenen Tür vorbei. Er hat sie noch nie offenstehen gesehen. Immer, wenn er darauf zu sprechen gekommen war, hatte Sela Huber ihm eine ausweichende Antwort gegeben oder schnell das Thema gewechselt. Das genügte ihm, um die Tür aus seinem Gedächtnis zu streichen. Die wenigen Male, die er allein in der Wohnung gewesen war, hatte er es sich verkniffen, das Zimmer zu betreten. Er wußte, daß sie es ihm nie verzeihen würde, wenn sie davon erführe – und es gab nur sehr wenige Dinge, die ihr entgingen, vor allem nicht solche, die für andere Menschen kaum wahrnehmbar waren.

Lars Belden öffnet die Tür und sucht den Lichtschalter.

An allen vier Wänden des Raumes stehen Regale. Regale voller Fotoalben, Notizbücher, Videobänder, Audiokassetten, Ordner und Kartons. In der Mitte auf einem Teppich lediglich ein Sessel, eine Stehlampe und ein niedriges Möbel mit Videorecorder, Fernseher, CD-Player und Kassettenrecorder.

Die Möglichkeit, hier eine Antwort auf seine zahllosen, unbeantwortet gebliebenen Fragen zu finden, bringt ihn aus dem Gleichgewicht, weckt in ihm den Wunsch zu bleiben, um einigen Dingen auf den Grund zu gehen.

Lars Beldens Herz schlägt schneller.

Doch die unsichtbare Gegenwart der Nachbarn – das Geräusch eines Radios, einer Wasserspülung, einer sich schließenden Tür – drängt sich ihm mit der Wucht einer Lawine auf.

Lars Belden späht durch den Spion. Während er die Treppe hinuntersteigt, zählt er die Stunden bis zum Einbruch der Dunkelheit.

II

Vom Innenhof fällt spärliches Licht in den Flur.

Während Lars Belden mit dem Rücken an die Wohnungstür gelehnt abwartet, bis sich seine Augen ans Halbdunkel
gewöhnt haben, läßt er den zu Ende gehenden Tag Revue
passieren. Am Morgen, auf dem Nachhauseweg, ist ihm Sela
Huber nicht aus dem Kopf gegangen. Ein ums andere Mal
hat er den Empfindungen der vergangenen Nacht nachge-
spürt, als sähe er sich im Zeitraffer den Trailer eines Films an,
um die fehlende Schlußszene zu ergründen. Frierend und bis
auf die Knochen durchnäßt, ist er stundenlang durch den
Regen gelaufen, ohne auf den hektischen Verkehr zu achten,
und hat währenddessen fassungslos registriert, wie all seine
Schutzwälle einstürzten und seine ganzen Vorsätze, Sela Hubers Verlust abzutun und weiterzuleben, ohne dem Schmerz
oder der Wut nachzugeben, zunichte gemacht wurden.

Das Geräusch eines Radios, einer Wasserspülung, einer
sich schließenden Tür.

Mit geistesabwesendem Blick, die Kehle wie zugeschnürt,
hält er die Schlüssel fest in seiner geballten Faust. *Damit du
nicht auf der Straße warten mußt, falls du einmal vor mir da sein*

solltest. Das war nur drei- oder viermal vorgekommen. Voller Vorfreude hatte er dann das Warten auf Sela Huber genossen und war solange in der Wohnung auf und ab gegangen.

Jetzt weiß er indes nicht, worauf er wartet, wie er das Kleingedruckte deuten soll von dem, was ihn hergeführt hat.

Seine Augen werden feucht, als er sich an ihren Sarg hinter der Glasscheibe in der Leichenhalle erinnert, der Deckel geschlossen, um die dunkle Präsenz all dessen zu schützen, was nun nicht mehr gesagt oder getan werden konnte, was nicht zu Ende geführt worden war. In der spiegelnden Scheibe hatte Lars Belden dennoch Sela Hubers Gesicht gesehen: ihren vor Leidenschaft entflammten Blick, ihr hartnäckiges Schweigen, ihre opalschimmernden Tränen.

In der Hoffnung, daß das Alltägliche eine heilsame Wirkung zeitigte, hatte er nach der Totenfeier versucht, für den Rest des Tages zu schlafen oder zu arbeiten. Doch vergeblich. Wie ein Riß hatte sich die Rastlosigkeit ihren Weg gebahnt.

In den ersten Wochen und Monaten nach der Trennung war sein Bedürfnis, das Geschehene zu begreifen, eine Erklärung dafür zu finden, einer tiefen Beklemmung gewichen. Mit der Zeit waren seine Gedanken jedoch nicht mehr ausschließlich um Sela Hubers Verschwinden gekreist; unter der brüchigen Oberfläche der Zeit ohne sie hatte sich dieses im Laufe der Jahre vielmehr bei ihm in einer um wenige Zehntel erhöhten Körpertemperatur niedergeschlagen, war zu einer an der Grenze zur Resignation angesiedelten Leerstelle geworden.

Das Brummen des Kühlschranks vermischt sich mit dem unruhigen Trommeln des Regens ans Oberlicht zum Innenhof.

Lars Belden holt tief Luft. Er weiß nicht, ob er stark genug ist für das, was er hier zu finden hofft. Überzeugt, daß die Wiederholung seiner Handlungen in der Nacht zuvor ihn vor der Angst zu schützen vermag, betritt er das Wohnzimmer, öffnet die Fensterläden und setzt sich in einen Sessel.

Das gelbe Licht der Straßenlaternen taucht den Raum in gebieterische Kälte. Eine Landkarte aus Rinnsalen verdunkelt die Fassade auf der gegenüberliegenden Straßenseite.

Das Lämpchen des Anrufbeantworters blinkt.

Lars Belden spult die Kassette zurück und drückt auf Wiedergabe.

Ein jeder steht allein auf dem Herzen der Erde,
getroffen von einem Sonnenstrahl:
Und schon ist es Abend.

Sela Huber wechselte häufig die Ansage ihres Anrufbeantworters. Manchmal jeden Tag. Nach Lust und Laune sprach sie Aphorismen, Gedichte, Rätsel, Anagramme oder Kurzgeschichten aufs Band. *Vielleicht erreiche ich damit ja, daß die Leute nicht gleich wieder auflegen. Und sei es nur aus Dankbarkeit.*

Nach dem Signalton unbekannte Stimmen, dazwischen eine ganze Reihe von wiederkehrenden Pausen. Lars Belden erkennt seine eigene Atmung wieder, die Hintergrundmusik bei einigen seiner Anrufe. Im Laufe des Tages hat er immer wieder angerufen, um Sela Hubers Stimme zu hören.

Lars Belden spult die Kassette erneut zurück.

> Ein jeder steht allein auf dem Herzen der Erde,
> getroffen von einem Sonnenstrahl:
> Und schon ist es Abend.

Sela Hubers Stimme beherrscht die Topographie der Stille. Sie besiegt die Kälte. Gebietet dem unablässig fallenden Regen Einhalt. Bezwingt den Wind, der die letzten Blätter des Winters von den Bäumen reißt. Sie hat sich nicht wesentlich verändert. Genau wie der Geruch ihres Pyjamas. Allenfalls klingt sie jetzt kantiger. Nüchterner. Nackter.

> Ein jeder steht allein auf dem Herzen der Erde,
> getroffen von einem Sonnenstrahl:
> Und schon ist es Abend.

Die unheilvollen Worte des Gedichts sind spitz wie Stilette.

Auf der gegenüberliegenden Straßenseite nur ein einziges erleuchtetes Fenster. Der Gehweg, menschenleer und glänzend vor Nässe.

Die Schatten der Zweige verzerren die Konturen der Dinge.

Lars Belden betritt das Zimmer mit den Regalen und tastet nach dem Lichtschalter.

Die gemütliche Beleuchtung des Raums dämpft seine Nervosität. Sie erfüllt ihn mit einer stoischen, entrückten Ruhe, ähnlich der in manchen Wartesälen.

Die Geräusche aus dem Innenhof und von der Straße verebben. Nur die Gegenwart des Regens bleibt deutlich spürbar.

Wie Eisenspäne, die von einem Magneten angezogen werden, richten sich Lars Beldens Augen jetzt auf ein ungerahmtes Foto von Sela Huber.

Oft, wenn er ihr zusah, wie sie schlief, oder später, wenn er die wenigen Fotos von ihr betrachtete, die er sein eigen nannte, hatte Lars Belden sich die künftigen Veränderungen in Sela Hubers Gesicht vorgestellt, die Metamorphose ihrer dem unaufhaltsamen Lauf der Zeit unterworfenen Züge. Doch nie wäre er auf einen Gesichtsausdruck wie den auf diesem Foto gekommen. Es ist, als hätten ihre Augen, die Nase und die Wangenknochen, der Mund und das Kinn eine ähnliche Entwicklung durchgemacht wie ihre Stimme und der unermüdlich wachsenden Melancholie nachgegeben, ohne daß irgend etwas den Verlust ihrer Schönheit und ihres Charmes wettgemacht hätte. Tot. Das Gesicht einer Toten. Wie das Gesicht, das zum Vorschein gekommen wäre, wenn er den Sargdeckel hätte öffnen können. Es sind vor allem ihre Augen: tiefliegend, voller Schwermut, wehrlos. Eine Wand.

Lars Belden nimmt das Foto und setzt sich damit in den Sessel. Er erinnert sich daran, wie er Sela Huber nach langem Drängen am Telefon schließlich zum ersten Mal gegenüberstand. Sie trafen sich in einem Café. Sela Huber war vor ihm da gewesen, die Übersetzung ihres Buches als Erkennungszeichen vor sich auf dem Tisch, und hatte ihn mit einem distanzierten Lächeln begrüßt. Lars Belden könnte ohne weiteres die Stimmung jenes Abends beschreiben, ihre Kleidung, die Mäander ihrer schwerfälligen, stockenden Unterhaltung, die nahezu unmerkliche Präsenz eines an ihr nagenden Kummers, wie eine Last, der man sich nicht zu entledigen vermag.

Er legt das Foto wieder dorthin, wo er es gefunden hat, und inspiziert die Regale. Fotoalben, Notizbücher, Videobänder, Audiokassetten, Ordner und Kartons. Alles durchnumeriert. Dazwischen einige Gegenstände wie Vasen, kleine Skulpturen und Masken, die die Kassetten von den Videobändern und die Notizbücher von den Fotoalben trennen.

Er weiß nicht, wo er anfangen soll. Wahllos greift er sich eine Kassette heraus und schiebt sie in den Recorder. Wartet. Einen Moment lang ist er verwirrt, fühlt sich unbehaglich, als wäre er erst in diesem Augenblick zum Eindringling geworden, hat er doch bisher Sela Hubers unausgesprochenen Wunsch respektiert. *Ich weiß, daß du das Zimmer nicht betreten wirst … Es geht dich nichts an, was sich darin befindet … Das sind meine persönlichen Angelegenheiten.*

Sela Hubers Stimme erfüllt jetzt den Raum, rüttelt an den Schatten. Dann kommt die eines Mannes hinzu. Im Hintergrund die Geräuschkulisse eines Lokals.

»Was muß ich tun, damit du es endlich begreifst?«

»Was soll ich begreifen?«

»Daß ich überhaupt nichts habe.«

»Warum bist du dann so distanziert?«

»Was möchten Sie trinken?«

»Ich hätte gern einen Kaffee.«

»Für mich bitte einen koffeinfreien mit Milch.«

»He! Warum?«

»Warum was?«

»Du bist unmöglich.«

»Ich bin nun mal so.«

»Aber…«

»Nichts aber. Ich hätte nur gern, daß wir uns eine Zeitlang weniger sehen.«

»Und warum kommst du mir ausgerechnet jetzt damit?«

»Ich brauche Zeit zum Nachdenken… Ist das so schwer zu verstehen?«

Schweigen.

»He, ist das so schwer?«

»Ja, ziemlich. Vor allem jetzt, wo alles so gut zu laufen schien.«

»Tut mir leid, wirklich, aber es gibt Dinge, die ich nicht in der Hand habe.«

Irritiert stoppt Lars Belden das Band. All das kommt ihm nur allzu bekannt vor. Wenn da nicht die fremde Stimme wäre, könnte dies durchaus auch ein Gespräch zwischen Sela Huber und ihm selbst sein. Es ist für ihn ein leichtes, sich vorzustellen, wie er in dem Lokal mit einer Papierserviette herumspielt oder mit der Fingerspitze über die Risse in der marmornen Tischplatte fährt. Die gleichen Argumente, die gleiche Geheimnistuerei. Nervosität. Hast. Zögern. Eine Abfolge von Fragen und Antworten, die zu nichts führen. Stumme Blicke.

Das heftige Trommeln des Regens.

Lars Belden wechselt die Kassette.

Ein weiteres Gespräch zwischen Sela Huber und dem Mann aus dem Lokal, den Hintergrundgeräuschen nach zu schließen findet es diesmal aber auf der Straße statt. Lars Belden vergleicht die Rücken der beiden Kassettenhüllen. Derselbe Buchstabe, aber unterschiedliche Zahlen.

Er geht die Kassetten auf den Regalen durch, die nach Buchstaben geordnet sind, und hört überall hinein.

Sein Puls beschleunigt sich.

Sela Hubers Stimme im Wechselspiel mit weiteren männlichen oder weiblichen Stimmen. Ein Spinnengewebe aus an allen möglichen Orten aufgenommenen Gesprächen, die dem Chaos des Vergessens entrissen sind. Eine Ansammlung von Gespenstern.

Plötzlich – seine eigene Stimme. Zwar hat er geahnt, daß er früher oder später darauf stoßen würde, ist nun aber doch überrascht.

»Wenn man liebt, will man vermutlich alles unter Kontrolle haben. Die Vergangenheit, die Gegenwart und die Zukunft. Man will wissen, was vorher war, wo man jetzt steht, was einen erwartet … Darin sehe ich nichts Verwerfliches.«

Lars Belden ist bleich geworden. Er wirft einen Blick auf das Regal, aus dem er die Kassette gezogen hat. Ihm wird ganz beklommen zumute, als er die hundertdreizehn Kassetten à neunzig Minuten mit dem Buchstaben G auf dem Rükken erblickt.

Er verläßt den Raum.

Die Stimmen verfolgen ihn bis ins Wohnzimmer, drängen ihn, die Balkontür zu öffnen, um die eisige Nachtluft hereinzulassen.

Der Regen verformt die schmiedeeisernen Spiralen des Geländers. Peitscht ihm ins Gesicht. Beruhigt ihn.

Im Hauseingang auf der gegenüberliegenden Straßenseite schläft jemand unter Pappdeckeln. So wie er selbst vor langer Zeit. Zwei endlose Wochen lang, während denen er den Hauseingang und die Fenster von Sela Hubers Wohnung keine Sekunde aus den Augen ließ. Sich weder wusch, noch die Wäsche wechselte und sich ausschließlich von Sandwichs ernährte. Für zwei endlose Wochen gehörte er zum Inventar der Straße. Eine Straßenlaterne, ein Briefkasten, ein Schaufenster, eine Bank, ein Papierkorb. Und ein auf der Lauer liegender Mann. Bis schließlich die Resignation die Oberhand gewonnen hatte, er nach Hause gegangen war und alles getan hatte, um Sela Huber zu vergessen.

Ein Kälteschauder.

Man will wissen, was vorher war, wo man jetzt steht, was einen erwartet …

Lars Belden geht in die Küche und öffnet den Kühlschrank. Er hat den ganzen Tag noch nichts gegessen. Im Stehen löffelt er eine Suppenschüssel leer und trinkt ein paar Schlucke aus einer offenen Weinflasche. Mehr wagt er nicht zu sich zu nehmen. Das schmutzige Geschirr in der Spüle drückt ihm fast das Herz ab. So wie das ungemachte Bett, das halbgelesene Buch, der reglose Zeiger des Weckers, die zum Trocknen aufgehängte Wäsche. Vielleicht, überlegt er, vielleicht würde Sela Huber ja zurückkehren, wenn er sich in aller Ruhe und zur Versöhnung bereit in den Flur setzen oder, damit die Minuten schneller verstrichen, in der Wohnung auf und ab gehen würde. Er würde sie mit einem Kuß begrüßen, als hätten sie sich erst am Tag zuvor verabschiedet.

Doch weit gefehlt. *Ein jeder steht allein auf dem Herzen der Erde ... Und ohne eine zweite Chance.*

Lars Belden geht zurück ins Regalzimmer.

Der Buchstabe G. Auf den Fotoalben, den Videobändern, den Notizbüchern, den Ordnern, den Kartons.

Ein Buchstabe. Ich bin nur ein Buchstabe. Ein Schnörkel. Schall und Rauch.

Er zieht das erste Notizbuch aus dem Regal und blättert darin. Liest den Anfang.

Heute hat mich der Übersetzer meines Buches angerufen (Kassette G 1). Er heißt Lars Belden. Der Lektor hat ihm meine Telefonnummer gegeben, damit er die Zweifelsfälle mit mir besprechen kann, die beim Übersetzen aufgetaucht sind. Anfangs war mir etwas unbehaglich zumute. Es kostet einen einige Überwindung, die Einmischung eines Fremden zu akzeptieren. Vor allem, wenn es sich um jemanden handelt, der dein Buch bis ins letzte seziert und möglicherweise das Gerüst und die Nahtstellen entdeckt hat. Aber ich habe gleich gemerkt, daß es halb so wild ist. Wir haben bloß über einige Fragen der Syntax und der Zeichensetzung gesprochen, über ein paar zweideutige Stellen, den Sinn einer bestimmten Passage … Es hat mir gefallen, daß er sich in einigen Fällen bereits eine Lösung überlegt hatte. Es war nicht allzu schwer, uns zu einigen. Er hat gesagt, er ruft mich vielleicht noch einmal an.

Lars Beldens Blick bleibt an bestimmten Stellen haften. Springt hierhin und dorthin. Verschlingt die Seiten des Notizbuchs mit der Gier eines Holzwurms.

Während der Monate, in denen sie ausschließlich miteinander telefonierten, notierte Sela Huber jedes einzelne Gespräch, beschrieb minutiös ihre Verfassung und versuchte ihren Reaktionen auf den Grund zu gehen, um das Ausmaß ihrer Gefühle zu klären und herauszufinden, wie sie sich Lars Belden gegenüber verhalten sollte.

Sela Hubers kleine, kompakte Schrift füllt die Seiten von oben bis unten, fast ohne Zwischenräume.

Heute haben wir zum ersten Mal nicht über mein Buch gesprochen. Schon beim letzten Telefonat ist mir aufgefallen, daß Lars Belden das Gespräch in die Länge ziehen wollte, aber ich ließ mich nicht darauf ein. Heute habe ich meinen Willen allerdings nicht durchgesetzt. Wahrscheinlich bin ich nicht genug dagegen gewappnet gewesen. Seit Tagen schlafe ich schlecht. Ich habe wieder Alpträume: Ich träume von dem Mann, der mich überallhin verfolgt, ich laufe davon wie immer, dieselben Schatten wie eh und je, auch die Anrufe, die ausgestorbenen Straßen und leeren Zimmer. Dann schrecke ich hoch und muß eine Tablette nehmen, um wieder einschlafen zu können. Lars Beldens Fragen waren nicht böse gemeint, aber aus meinem Verhalten muß er zwangsläufig schließen, daß ich reichlich verschroben bin.

Wider Erwarten hat Lars Belden erneut angerufen, unter dem Vorwand, einen letzten Zweifelsfall klären zu wollen. Er hat aber gar nichts gefragt, sondern mir nur von seiner Arbeit erzählt.

Ich mag Lars' Stimme. Am liebsten würde ich ihm bloß zuhören, das würde mir schon genügen. Aber er bleibt hartnäckig, er will zuviel wissen, und die Telefonleitung füllt sich mit Schweigen. Dann merke ich, daß er verwirrt ist. Ich weiß nicht, ob ich möchte, daß er mich wieder anruft.

Während der Tage, an denen ich nichts von Lars höre, muß ich oft an ihn denken, aber das erzähle ich ihm natürlich nicht. Ich will nicht, daß er mich mißversteht.

Auch wenn ich es nicht gern zugebe: Lars schafft es, daß ich mich gut fühle. Ich spüre, daß ich ihm gefalle. Manchmal denke ich, alles könnte noch einmal von vorn beginnen. Wäre das doch nur möglich!

Heute abend haben wir nicht miteinander gesprochen. Mir war einfach nicht danach zumute. Ich bin viel zu müde. Nachts versuche ich mich mühsam wach zu halten. Ich will nicht schlafen. Der Mann aus meinen Träumen spürt mich überall auf. Lars wollte wissen, was los ist, aber ich habe schnell abgelenkt und eine CD aufgelegt. Wir haben die ›Sonate in D-Moll‹ für Laute von Silvius Leopold Weiß gehört.

Lars Belden erinnert sich noch genau an das Musikstück. Am Tag nach dem Telefonat hatte er es sich gekauft, um es noch einmal anzuhören. Er sucht die CD im Regal und legt sie auf. Er spürt, wie es ihm die Kehle zusammenschnürt.

Musik war in ihrer Beziehung eine Konstante gewesen. Sie sprachen darüber. Hörten sie gemeinsam an. Manchmal stundenlang. Oder sie bildete, häufig bis zum Überdruß wiederholt, den Hintergrund für scheinbar alltägliche Situationen: ein Wochenende in den Bergen, ein Mittag- oder Abendessen, ein Telefonat.

> Heute, an meinem Geburtstag – ich weiß nicht, wie er davon erfahren hat –, hat Lars mir einen Blumenstrauß geschickt (Karton G 1). Er ist ein wundervoller Mann. Ich würde ihm gern sagen, was ich für ihn empfinde, aber noch wage ich es nicht.

Lars Belden hält Ausschau nach dem Karton. Er entdeckt ihn auf einem der oberen Regalbretter und holt ihn herunter.

Seine Hände zittern.

Der Blumenstrauß, luftdicht in durchsichtige Plastikfolie eingeschweißt, ist verblaßt. Von den samtenen Blütenblättern ist kaum noch etwas übrig.

Asche. Staub.

Lars Belden legt den Blumenstrauß auf den Boden und leert den Karton. Darin sind alle seine Geschenke, jedes einzelne mit Ort und Datum versehen. Bücher, CDs, ein Halstuch, ein Anhänger, zwei Eintrittskarten für ein Konzert, eine Zeichnung, eine Feder, ein Parfüm...

Sela Huber hatte das Päckchen ausgepackt, ohne das Papier zu zerreißen.

»Jasmin.«

»Magst du es nicht? Neulich hast du welches aufgelegt, be-vor wir miteinander geschlafen haben.«

»Ja, ja, ich weiß. Deswegen kann ich es auch nicht noch einmal benutzen.«

»Das verstehe ich nicht, aber wenn du willst, tausche ich es um.«

»Nein, das ist nicht nötig. Ich werde es aufheben ... Dan-ke.«

»Ach komm, ich tausche es um. Das macht doch nichts ...«

»Nein, wirklich nicht ... Du bist fantastisch.«

Lars Belden streichelt den leeren Flakon. Er schraubt den Verschluß auf und wieder zu.

Asche. Staub.

Das Telefon klingelt.

Sela Hubers Stimme vermischt sich mit der Musik.

Ein jeder steht allein auf dem Herzen der Erde,
getroffen von einem Sonnenstrahl:
Und schon ist es Abend.

Der Mann zögert, spricht langsam.

»Ich weiß bald nicht mehr, wann ich dich noch anrufen soll. Vor zwei Wochen hast du gesagt, du wolltest mir etwas mitteilen. Ich warte immer noch darauf.«

Lars Belden stellt sich den Mann am anderen Ende der Leitung vor. Er beneidet ihn. Er weiß ja nicht, denkt er, daß du gestorben bist, und kann weiterhin Trost in dem Gedanken finden, daß er irgendeinen Winkel deiner Erinnerung besetzt. Nicht so wie ich.

Asche. Staub.

Lars' Blick wandert zum Notizbuch zurück.

Laut Lars kennen wir uns jetzt seit genau achtundneunzig Tagen. Keine Ahnung, ob das stimmt, ich habe sie nicht gezählt. Mit Zahlen ist das Ausmaß von Empfindungen oder Gefühlen nicht zu ermessen. Es fällt mir immer schwerer, die Distanz zu wahren. So zu tun, als hätte Lars mir nicht erklärt, daß er sich in mich verliebt hat. Wir haben uns viel zu weit vorgewagt auf ein Terrain, das wir nicht unter Kontrolle haben. Ich bin ganz durcheinander. Aber es hat auch sein Gutes: Die letzten Gespräche im Detail durchzugehen hilft mir, weniger zu schlafen. Und so träume ich auch nicht.

Lars Belden kann es sich nicht erklären. Schon nach den ersten Anrufen fühlte er sich zu Sela Huber hingezogen. Er unterhielt sich gern mit ihr, ohne zu wissen, warum. Trotz ihres anfänglichen Mißtrauens, ihres Schweigens und ihrer Ausflüchte fand er intuitiv einen Weg, ihren Argwohn zu zerstreuen und zu einer Art Verbündeter zu werden. Sela Huber wollte ihre Gefühle zuerst nicht zeigen und tat alles, um sie unter neutralen Worten und falschen Fährten zu verbergen, von Woche zu Woche wurde sie jedoch offener und entschlossener, sich ihm mitzuteilen. Auch wenn sie nach wie vor ein Hauch von Geheimnis und verbotenen Türen umgab. Er hatte sich in sie verliebt. Nie zuvor war er sich seiner Sache so sicher gewesen. Er war geradezu süchtig nach ihrer Stimme, weshalb er sich manchmal bremsen mußte, um sie nicht zu oft anzurufen. Ohne viel Aufhebens hatte er akzeptiert, daß sie einander nur übers Telefon nahe waren, als hielte Sela Huber sich am anderen Ende der Welt auf. Er hatte sich daran gewöhnt. Hin und wieder bat er sie dennoch um ein Treffen. Er konnte nicht anders, vielleicht, weil er überzeugt war, daß sie früher oder später doch einwilligen würde.

Ich kann ihn mir nicht aus dem Kopf schlagen. Vermutlich habe ich mich ebenfalls in ihn verliebt. Er will, daß wir uns sehen, und ich weiß bald nicht mehr, was ich seiner Beharrlichkeit noch entgegensetzen soll. Allmählich gehen mir die Ausreden aus. Ich schwanke ständig zwischen der Angst, das Risiko einzugehen, und der Angst, ihn zu verlieren.

Sela Hubers Schrift verschwimmt ihm vor den Augen. Lars Belden lehnt sich im Sessel zurück. Tränen laufen ihm über die Wangen. In seinem Kopf herrscht ein Wirrwarr aus Erinnerungen, Widersprüchen und unerklärlichen Vorfällen. Er überlegt, ob er nicht Sela Hubers sämtliche Aufzeichnungen von Anfang bis Ende lesen sollte, aber das Gefühl, daß ihm die Zeit im Nacken sitzt, entmutigt ihn.

Im Gespräch hatte Sela Huber sich nie so klar geäußert, sondern sich immer hinter Andeutungen verschanzt, deren Mechanismen sie perfekt beherrschte. Sie dosierte ihre Gefühle, als fürchte sie, sie zu vergeuden, und ließ Lars Belden im Ungewissen. Jetzt begreift er, daß keinerlei Absicht dahintersteckte. Dort, wo er die Triebfeder einer unergründlichen Strategie vermutet hatte, entdeckt er nun lediglich die Ohnmacht der Unsicherheit.

Am Telefon fühle ich mich sicher und gegen jede Gefahr gefeit. Ich weiß nicht, was passiert, wenn ich mich auf etwas anderes einlasse. Ich will nicht noch einmal denselben Fehler machen. Das könnte ich nicht ertragen.

In dieser ganzen Zeit – wie eine Geisel hatte Lars Belden die Tage gezählt – drehte sich ihrer beider Leben nur ums Telefon. Sie unterhielten sich nicht nur stundenlang, sondern lasen sich auch gegenseitig vor – Sela Huber wollte unbedingt ihre Lieblingsgedichte mit Lars Beldens Stimme vorgetragen hören –, sie lösten Kreuzworträtsel, spielten Scrabble oder Halma und streichelten sich gegenseitig mit Worten, mit der minutiösen Beschreibung ihrer Körper, die der Trägheit des Begehrens unterworfen waren.

Die letzten Blätter des Winters erzittern. Der Regen zeichnet ein Moiré aus Schweigen. Das gelbe Licht der Straßenlaternen füllt die Straße mit verwaisten Schatten.

Sela Hubers kleine, kompakte Schrift wandert dahin wie eine Düne.

> Ich weiß nicht, was ich will. Meine Angst ist übermächtig. Es ist, als würde man eine schlafende Verwünschung wachrufen (Kassette G 68).

Lars Belden sucht die Kassette mit der Nummer 68 und legt sie in den Recorder.

»Findest du nicht, daß es langsam Zeit wird, uns zu treffen? Ich habe das Telefonieren allmählich satt.«

»Ich auch, aber heute habe ich keine Zeit.«

»Dann nächste Woche.«

Schweigen.

»Paßt es dir am Mittwoch, gegen Abend?«

Schweigen.

»Ja oder nein?«

»Ja.«

»Dann erwarte ich dich im Café am Markt. Weißt du, wo das ist?«

»Ich glaube schon.«

Schweigen.

»Dann bis Mittwoch. Und leg die Übersetzung vor dich auf den Tisch. Als Erkennungszeichen. Jetzt, wo ich dich bald kennenlerne, würde ich dich ungern mit jemand anderem verwechseln.«

Sela Huber hatte sich ein lautes Lachen abgerungen und nach einem knappen »Tschüs, bis Mittwoch« aufgelegt.

Danach hatte Lars Belden sie nicht wieder angerufen. Er wollte ihr keine Gelegenheit geben, unter irgendeinem Vorwand abzusagen. Um seine Ungeduld zu zügeln, hatte er die ganze Woche pausenlos gearbeitet, das Telefon aber nicht aus den Augen gelassen, falls sie es sich doch noch anders überlegte.

> Morgen werde ich Lars zum ersten Mal sehen. Nun ja, strenggenommen ist es nicht das erste Mal. Ich kenne ihn ja bereits von den Fotos des Detektivs, die zwar nicht besonders gut sind…

Lars Belden kann nicht weiterlesen. *Ich kenne ihn ja bereits von den Fotos des Detektivs* … Sein Magen krampft sich zusammen. Er steht auf. Sucht das Regal ab. Schlägt die Ordner mit dem Buchstaben G auf und zieht jede Menge Schriftstücke heraus: Hotel- und Restaurantrechnungen, Zug- und U-Bahn-Fahrkarten, Eintrittskarten fürs Kino und für Konzerte.

»Was machst du mit den Eintrittskarten?«

Lars Belden hatte sie nach dem Kino darauf angesprochen. Er konnte einfach nicht verstehen, warum Sela Huber alles aufhob.

»Erinnerungen. All das sind Erinnerungen. Hast du noch nie darüber nachgegrübelt, wann und mit wem du einen bestimmten Film gesehen hast?«

»Doch, aber ich verlasse mich auf mein Gedächtnis.«

»Ich nicht.«

In einem an Sela Huber adressierten Umschlag findet er ein paar Schwarzweißfotos und ein zusammengefaltetes Blatt Papier. Die Fotos sind ziemlich schlecht. Auf einem sieht er sich in einem Lokal sitzen und ein Buch lesen und auf einem anderen vor einem Schaufenster stehen. Der Bericht, auf dem Briefpapier eines Detektivbüros getippt, umfaßt nur eine halbe Seite.

Der zu überwachende Mann ist circa vierzig Jahre alt, 1,75 Meter groß und von schlanker Statur. Er lebt allein (weder hat er seine Wohnung mit jemandem betreten noch verlassen, und am Briefkasten steht nur sein Name). Augenscheinlich geht er keiner Arbeit nach; oder aber er arbeitet zu Hause (wir werden Erkundigungen einziehen). Er hat einen festen Tagesablauf. Morgens geht er sehr früh aus dem Haus, um die Zeitung zu holen. An manchen Tagen geht er auch auf einem Markt in der Nähe einkaufen. Danach verläßt er das Haus erst wieder gegen Abend (nur einmal hat er mit einem anderen Mann zu Mittag gegessen) und geht allein und gemächlich spazieren, wobei er häufig vor

Schaufenstern stehenbleibt. Er betritt vor allem Buchhandlungen und Musikgeschäfte. Nur an einem Tag hat er nach dem Kauf eines Buches ein Café aufgesucht, wo er etwas getrunken und über eine Stunde gelesen hat. Manchmal setzt er sich auf eine Bank und schreibt etwas in ein Notizbuch. Zur Abendessenszeit kehrt er wieder nach Hause zurück. Man könnte seine Post und das Telefon überwachen, was wir jedoch nicht für nötig erachten. Wir warten auf weitere Anweisungen.

Stimmen im Treppenhaus. Lachen.

Lars Belden späht durch den Spion, bis das Licht über dem Treppenabsatz erlischt. Nervös geht er in der Wohnung umher. Er kann nicht verstehen, warum Sela Huber ihn eine Woche lang hat beschatten lassen.

Der Wind zerrt an der Plastikfolie, die irgendwo schützend über eine Wäscheleine gespannt ist.

Der Kühlschrank brummt.

Lars Belden geht ins Bad und wäscht sich das Gesicht, um die Müdigkeit zu verscheuchen. Sein Spiegelbild verschmilzt mit dem von Sela Huber, die ihn von hinten umarmt, während er sich rasiert.

»Vergiß nicht, daß jeden Moment alles aus sein kann.«

»Du und deine Geheimnisse.«

Selas wie hinter einer dünnen Eisschicht gefangene Augen waren mit einem Schlag traurig geworden.

»Ja, ich und meine Geheimnisse.«

Dann hatten sie sich lange in den Armen gehalten. Schweigend. Nur auf den fragilen Rhythmus ihrer Atemzüge achtend.

Lars Belden holt sich eine Decke gegen die Kälte und nimmt die Lektüre des Notizbuchs wieder auf.

> Morgen werde ich Lars zum ersten Mal sehen. Nun ja, strenggenommen ist es nicht das erste Mal. Ich kenne ihn ja bereits von den Fotos des Detektivs, die zwar nicht besonders gut sind, mir aber trotzdem sehr geholfen haben. Ich weiß nicht, ob ich mich über eine so lange Zeit einer Stimme ohne Gesicht hätte aussetzen können. Ich nehme an, jetzt wird sich alles ändern. Hoffentlich bereue ich es nicht. Das Leben ist viel zu kurz, um klein beizugeben. Edmond Lenz hatte recht.

Lars Belden knickt die Ecke der Seite ein. Es ist das erste Mal, daß er auf einen anderen Namen stößt. Er spricht ihn laut vor sich hin. Edmond Lenz. Er kann sich nicht daran erinnern, daß Sela Huber ihn jemals erwähnt hätte.

> Ich war früh genug im Café am Markt, um einen guten Platz auszusuchen und das Aufnahmegerät vorzubereiten (Kassette G 69).

»Sela?«

»Ja, und du bist bestimmt Lars, oder?«

»Ja. Wartest du schon lange?«

»Nein, noch nicht lange.«

Am Anfang kamen wir uns vor wie zwei Fremde. Vor lauter Nervosität haben wir über alles und nichts gesprochen. Über das Cover des Buchs, den Lektor, die Arbeit, eine Zeitungsmeldung … Es war ein wenig steif. Wir haben eine Weile gebraucht, um mit dieser neuen Situation fertigzuwerden. Um uns davon zu überzeugen, daß die körperliche Gegenwart des anderen nichts änderte. Daß alles noch genauso war wie eine Woche zuvor, als wir den Telefonhörer auflegten. Wie einfach ist es, mit Lars zusammenzusein, solange er seinen Wissensdrang zügelt.

»Warum läßt du nicht locker?«

»Weil ich gern alles über dich wissen möchte.«

»Und wozu soll das gut sein?«

»Zu gar nichts, das stimmt schon, aber das macht nun mal Freundschaft aus … oder auch die Liebe … Außerdem weißt du mehr über mich als ich über dich.«

»Das tut hier überhaupt nichts zur Sache … Du hast es schließlich so gewollt. Ich habe dich nie darum gebeten.«

Es geht immer um das gleiche. Wann? Mit wem? Warum ist es nur so schwer zu lieben, ohne Fragen zu stellen? Sobald Schweigen eintrat, wußte ich nicht, wohin ich blicken sollte. Ich weiß, daß das manchmal sehr kränkend sein kann. Ich spürte, wie mich Lars' Augen erwartungsvoll ansahen.

»Auch egal, lassen wir's gut sein. Ich möchte nicht unsere erste Verabredung verderben.«

»Nein, verzeih mir, es ist meine Schuld. Ich habe keine sonderlich gute Beziehung zu meiner Vergangenheit. Deshalb spreche ich lieber nicht darüber. Nicht jeder hat die Geschichte, die er sich wünscht.«

Für den Rest des Abends haben wir uns angeschwiegen. Als sei irgend etwas zu Bruch gegangen. Ich hoffe, beim nächsten Mal wissen wir es besser.

»Wann sehen wir uns wieder?«

»Ich rufe dich an.«

Lars Belden schließt die Augen. Er erinnert sich an das fast leere Café. Den Tisch mit den Tassen. Die Übersetzung mit der Widmung. *Für Lars, den Übersetzer von Träumen. In Zuneigung.*

Danach hatten sie sich in unregelmäßigen Abständen getroffen. Eine Reihe von unvorhersehbaren Verabredungen. Mit der Zeit hat Lars Belden sie durcheinandergebracht. Obwohl die Beziehung mit Sela Huber eine der intensivsten Phasen seines Lebens bildete, war es auch eine verwirrende Zeit voller Gegensätze und Widersprüche gewesen. Als habe Sela nichts von sich preisgeben wollen und sich deshalb mit einer Mauer aus Konfusion umgeben.

Tinte. Düne.

Heute habe ich zum ersten Mal mit Lars geschlafen (Video G 1). Jasmin. Die ›Gigue‹ der ›Sonate Nr. 9 in C-Moll‹ von Carlo Ambrogio Lonati. Dunkelblaue Bettwäsche.

Lars Belden legt das Video mit der Nummer G 1 ein.

Auf dem Bildschirm erscheint Sela Hubers Zimmer. Lars Belden sitzt auf dem Bett und blättert in einem Buch. Sela Huber kommt von rechts ins Bild, nackt, und umarmt ihn von hinten. Sie legt das Buch auf den Nachttisch und zieht ihn aus. Sie sagen kaum etwas.

»Ich mag dein Parfüm.«

»Das ist Jasmin.«

Die ›Gigue‹ von Lonati, die wieder und wieder erklingt, umschmeichelt die Körper in ihrer biegsamen Gelassenheit wie eine Litanei.

Lars Beldens Augen verschlingen Sela Hubers Nacktheit. Ihre vor Leidenschaft entflammten Blicke. Ihre Hände, unruhig wie Vögel. Der Impuls der Wollust. Ihr Atem, kurz bevor er sich in schläfrigem Schweigen verliert.

Die ›Gigue‹ von Lonati.

Asche. Staub.

Lars Belden stoppt das Video und fährt mit den Fingerspitzen über die dichtgedrängten Zeilen des Notizbuchs. Er befühlt das Papier, streicht über die fast unmerklichen Rillen, die der Kugelschreiber hinterlassen hat. Er stellt sich vor, wie Sela Huber hier im Sessel sitzt und ihr Gedächtnis mit den Videoaufnahmen auffrischt, dem unverwechselbaren Duft des Parfüms, mit der Musik, die wie eine versunkene Galeone auf dem Grund ihres Bewußtseins liegt.

»Erinnerungen. All das sind Erinnerungen. Hast du noch nie darüber nachgegrübelt, wann und mit wem du einen bestimmten Film gesehen hast?«

Statt eines Films hätte Sela alles Mögliche anführen können: ein Abendessen, ein Wochenende in den Bergen, ein Gespräch …

»Doch, aber ich verlasse mich auf mein Gedächtnis.«

Jetzt nicht mehr. Die Zeit hat die Tendenz, alles auszuradieren, die Vergangenheit einzuebnen, bis sie nicht mehr begehbar ist.

»Ich nicht.«

Der Regen fällt durch die Kälte wie ein quecksilberner Schleier. Bildet Rinnsale. Pfützen.

Im Notizbuch sind auch alle weiteren Treffen verzeichnet. Lars Belden fühlt sich jedoch nicht imstande, weiterzulesen. Er braucht Erklärungen, Antworten. Keine Abfolge von sterilen, auf schmerzhafte Weise unwiederholbaren Momenten, die lediglich den Verlust bezeugen.

Die letzte Eintragung ist von den anderen durch eine weiße Seite getrennt.

> Es geht wieder von vorn los. Ich habe nicht den nötigen Mut gefunden, Lars zu sagen, daß wir uns trennen müssen. Ich habe versucht, ihm einen Brief zu schreiben, aber mittendrin aufgehört. Ich weiß nicht, wie ich mich ausdrücken soll. Wir haben uns zum letzten Mal geküßt (Kassette G 113).

Lars Belden schiebt die letzte Kassette in den Recorder. Die nicht ganz zurückgespulte Aufnahme läßt ihn erschauern.

»Ist etwas mit dir?«

»Nein, wieso?«

»Seit dem Anruf neulich bist du irgendwie komisch.«

»Es ist nichts, das ist meine persönliche Angelegenheit.«

»Ja, wie immer. Deine persönliche Angelegenheit… Wann begreifst du endlich, daß diese Dinge auch mich etwas angehen?«

Schweigen.

»Ich weiß nicht, ob wir zusammenbleiben können.«

»Ob wir was?«

»Zusammenbleiben. Ob *ich* mit dir zusammenbleiben kann.«

»Und warum?«

»Ich weiß es nicht.«

»Ich nehme an, du weißt nicht, wie du es mir beibringen sollst. Das ist es doch, oder?«

»Schon möglich, aber ich will dir auf keinen Fall weh tun.«

»Wie bitte?«

Am nächsten Tag hatte Lars Belden Sela Hubers letzten Anruf erhalten, der zwischen all den anderen Nachrichten auf seinem Anrufbeantworter beinahe untergegangen wäre.

Es ist aus zwischen uns. Tut mir leid. Bitte such mich nicht. Ich hoffe, du kannst mir verzeihen.

Und schon ist es Abend.

Lars Belden öffnet den zweiten Karton mit dem Buchstaben G. Darin befinden sich die wenigen Dinge, die er in Sela Hubers Wohnung zurückgelassen hat: seine Zahnbürste, den Rasierapparat, Rasierschaum, ein paar Bücher sowie einen Wollpullover, den Sela Huber ihm geschenkt hat.

Lars Belden zieht ihn an.

»Gefällt er dir?«

»Ja, sehr. Ich habe mir schon lange so einen dicken Pullover gewünscht.«

An einem Wochenende in den Bergen trug er ihn zum ersten Mal. Als er am Sonntagmorgen aufwachte, sah er Sela Huber damit am Fenster sitzen, die angezogenen Beine unter dem Pullover. Er hatte sie lange betrachtet, bevor er etwas sagte. Ihr glänzendes Haar, ihr Profil, ihre nackten Zehen.

»Woran denkst du?«

»An uns.«

»Und?«

»Ich würde so gern mit dir hierbleiben. Weit weg von allem und jedem.«

»Das dürfte schwierig werden, oder?«

»Ja, ich glaube schon.«

Auf dem Boden des Kartons liegt ein Umschlag mit einem Packen Briefe und Postkarten.

Sela Huber hat alle Post von Lars Belden aufbewahrt, sie chronologisch geordnet und ihre Antworten hinzugefügt, die sie vor dem Abschicken fotokopiert hatte.

Auf der verzweifelten Suche nach einer Erklärung hatte Lars Belden ihr in den Wochen nach der Trennung jeden Tag geschrieben. Jetzt überrascht ihn der Ton seiner Worte, das Gefühlschaos, das sie vermitteln. Aus dem Blickwinkel heraus, den der zeitliche Abstand oder auch die Gesamtsicht der Dinge ermöglichen, verspürt er beim Lesen Scham. Oder vielmehr Verwirrung. Die Verwirrung, die sich einstellt, wenn man zufällig in der Korrespondenz eines Menschen blättert, der einem nur allzu vertraut ist.

Warum tust Du mir das an? So etwas hätte ich Dir
nie zugetraut. Kenne ich Dich denn so schlecht?
Der Gedanke erschreckt mich …

Ich zerbreche mir unablässig den Kopf über unsere
letzten Gespräche, um eine Erklärung zu finden …

Vermutlich liegt die Schuld bei mir. Ich hätte mich nicht in Dich verlieben dürfen.

Lars Beldens Stimme bebt.

»Ich hätte mich nicht in dich verlieben dürfen.«

Lars Belden zieht einen Filzstift aus der Tasche und streicht den Satz durch, bis er nicht mehr zu entziffern ist. Dann legt er den Brief zu den anderen zurück und klappt den Kartondeckel zu.

Asche. Staub.

Er spult die letzte Kassette bis zum Anfang zurück. Vielleicht, überlegt er, ist mir ja irgendein wichtiges Detail entgangen. *Ich zerbreche mir unablässig den Kopf über unsere letzten Gespräche, um eine Erklärung zu finden.*

Nach dem Signalton eines Anrufbeantworters, dem nahtlos das erste Wort der Nachricht folgt, bricht die verbrauchte, rauhe, beinahe verzerrte Stimme eines Mannes das Schweigen.

»Ich dachte, es sei alles klar. Ich verstehe nicht, warum du nicht die Finger von ihm läßt. Denk an Edmond Lenz.«

Lars Belden reibt sich die Schläfen. Sein Puls hämmert, und sein Schädel ist kurz vor dem Platzen.

Das milchige Licht des neuen Tages hängt in den Zweigen der Platane wie ein Leichentuch.

Lars Belden blättert zu der Seite mit der geknickten Ecke zurück. *Das Leben ist viel zu kurz, um klein beizugeben. Edmond Lenz hatte recht.*

Edmond Lenz.

Wenn man liebt, will man vermutlich alles unter Kontrolle haben. Die Vergangenheit, die Gegenwart und die Zukunft. Man will wissen, was vorher war, wo man jetzt steht, was einen erwartet …

Das Geräusch eines Radios, einer Wasserspülung, einer sich schließenden Tür.

Lars Belden stellt das Notizbuch, die Bänder und die Kartons zurück an ihren Platz. Er schaltet den Video- und den Kassettenrecorder aus. Horcht ins Treppenhaus. Als er auf die Straße tritt, überlegt er, wie er den beginnenden Tag am besten verkürzen kann.

III

Der vom spärlichen Oberlicht erhellte Flur steht voller Kartons.

Während Lars Belden an die Wohnungstür gelehnt abwartet, bis sich seine Augen ans Halbdunkel gewöhnt haben, liest er die Aufschriften.

»Kleidung«, »Vorsicht, Geschirr«, »Küchenutensilien«, »Bücher«.

An der Wand, der Schatten der leeren Garderobe.

Lars Belden zögert. Auf der Schwelle zu Sela Hubers Schlafzimmer bleibt er stehen.

Jemand hat die Wäsche abgenommen, das Bett abgezogen, den Schrank leergeräumt. Nur der kleine Zeiger des Wekkers, der die Zeit des Aufstehens anzeigt, und der Stuck und die Risse an der Decke sind unverändert. Auch das Buch ohne Lesezeichen liegt noch an seinem Platz. Die nackte Matratze wirkt im Verhältnis zu den Nachttischen und der Kommode auf einmal größer, so als wäre sie gewachsen. Lars Belden geht in der Wohnung umher. Das Gefühl, daß ihn jemand indirekt zur Eile antreibt, irritiert ihn, hindert ihn daran, in Ruhe nachzudenken.

Regen peitscht an die Scheibe des Oberlichts. Hallt nach. Rauscht durch die Dachrinnen.

Lars Belden legt Sela Hubers Lieblingsmusik auf und setzt sich in den Sessel. Die ›Lachrimae‹ von John Dowland erfüllen die kalte Luft des Zimmers.

Tropfen. Tränen. Selas Augen. Ich will dir auf keinen Fall weh tun. Wie bitte?

Die verbrauchte, rauhe, beinahe verzerrte Stimme auf dem Anrufbeantworter ist ihm den ganzen Tag nicht aus dem Kopf gegangen. *Ich dachte, es sei alles klar. Ich verstehe nicht, warum du nicht die Finger von ihm läßt. Denk an Edmond Lenz.*

Edmond Lenz.

Jemand erwähnte ihn in der Leichenhalle. Ganz beiläufig, mit der Hast, die manchmal mit der Erinnerung einhergeht.

»Seit der Geschichte mit Edmond Lenz war sie nicht mehr die alte.«

»Das ist doch schon so lange her ...«

»Ja, aber mit manchen Dingen wird man einfach nicht fertig. Vor allem, wenn Schuldgefühle im Spiel sind.«

»Schuldgefühle?«

»Ja, ich konnte es mir nie erklären, aber Sela hat sich immer schuldig gefühlt an Edmonds Verschwinden. Sie wollte bloß nie darüber reden.«

Als die beiden Frauen Lars Belden bemerkten, waren sie verstummt.

Die Musik setzt ihm zu.

Sela Huber sieht ihn an. Sie sitzt ihm in einem Lokal gegenüber, in dem es ziemlich laut zugeht.

»Hast du dich jemals schuldig gefühlt?«

»Das bleibt wohl keinem erspart. Aber ich versuche, mich deswegen nicht verrückt zu machen.«

»Manchmal habe ich das Gefühl, viel zu viele Fragen mit mir herumzuschleppen. Was wäre passiert, wenn ...? Was, wenn ich hierhin gegangen wäre anstatt dorthin? Was, wenn ich im richtigen Moment den Mund aufgemacht hätte? Jeder dieser Zweifel schließt das entsprechende Quantum Schuld für den womöglich begangenen Fehler mit ein.«

»Sicher; aber es ist nicht gut, das so zu sehen.«

Auch ich habe das Gefühl, viel zu viele Fragen mit mir herumzuschleppen, sagt sich Lars jetzt. Vielleicht habe ich mich nicht genug bemüht, dich zu verstehen. Oder vielleicht habe ich auch nicht hartnäckig genug nach dir gesucht. Vielleicht. Darüber habe ich in den letzten Jahren immer wieder gegrübelt, jedesmal, wenn du aus irgendeinem Winkel meines scheinbar versiegelten Gedächtnisses wiederaufgetaucht bist und meine Gedanken in Beschlag genommen hast. Vielleicht.

Bevor der Sarg hinter den Türen der Einäscherungskammer verschwand, hatten sie ihn noch einmal schweigend umringt, um einem letzten, mit bebender Stimme vorgetragenen Gedicht zu lauschen.

Lars Belden zieht das Gedenkblatt von der Totenfeier aus der Tasche.

DAS SCHWEIGEN DER TOTEN

Die Erde fordert ihren Tribut.
Doch wir wollen nicht von den Toten sprechen,
sondern uns allmählich an den Gedanken gewöhnen,
daß ein Teil von ihnen
                            uns nahe ist.

Wir wollen leben in Gesellschaft der Toten,
als trenne uns nur eine Wand aus Rauch,
die uns daran hindert, sie zu sehen.
In der Erinnerung wird uns ihr Schweigen
                     zuweilen schmerzlich spürbar.

Hör nicht auf, dich mit ihren Bildern
zu umgeben. Stell ihnen jeden Tag
Blumen hin, vielleicht erreicht sie ja
                        der Duft deiner Rosen.

Was wissen wir mit Sicherheit von ihrem Wesen?
Wirf die Dinge nicht weg,
die sie berührten, laß sie ruhig dort stehen,
wo sie immer standen.
Vielleicht offenbaren sie sich dir,
                     irgendwann, eines Tages.

Doch falls sie es nicht tun, so warte
geduldig, Tag für Tag, dein Leben lang.
Und lebe beschaulich in ihrer Mitte.
                        Geh so mit den Toten um.

Lars Beldens Blick schweift jetzt im Zimmer umher. Verharrt
auf Sela Hubers ungerahmtem Foto. Wandert über die Buchstaben und Zahlen in den Regalen.

Dann hatten sich die Türen der Einäscherungskammer
lautlos geschlossen. Aus dem Innern war, kaum hörbar, ein
steriles Brummen gedrungen.

Asche. Staub.

Edmond Lenz.

Lars Belden holt tief Luft. Er greift nach dem ersten Notizbuch mit dem Buchstaben F auf dem Rücken und fängt irgendwo an zu lesen.

Ich weiß nicht, was ich ohne Helga gemacht hätte.
Sie ist wie ein Rettungsanker. Bei ihr fühle ich mich
außer Gefahr.

Die Reise nach Prag war fantastisch. Wir sind alle
Spaziergänge aus Klaus Wagenbachs Kafka-Buch
nachgegangen (Album F 1).

Manchmal denke ich, ich habe sie nicht verdient.

Ohne Helga wäre ich nie über Edmonds Verlust hinweggekommen. Allerdings weiß ich nicht, ob man das, was ich damit meine, so bezeichnen kann. Vielleicht würde »ertragen« besser passen. So wie man chronische Schmerzen erträgt.

Konzert des Arditti String Quartet. Das ›Quartet No. 5‹ von Elliott Carter hat uns begeistert.

Drei Tage Strand. Scheußliches Wetter (Video F 3).

Ich merke, daß sie sich nicht einmischen will, aber ich habe das Gefühl, daß sie nicht so recht weiß, was sie von Lars' Telefonanrufen halten soll.

Helga hat mir Ohrringe geschenkt (Karton F 2).

Wenn sie auf der Arbeit ist, vergeht mir die Zeit sehr langsam. Ich wohne gern bei ihr; hier kommt mir alles leichter vor. Aber ich will nach Hause. Ich vermisse meine Sachen, vor allem das Regalzimmer. Doch wann wird das möglich sein? Lars überwacht die Wohnung noch immer. Schon seit acht Tagen.

Wenn ich sterbe, möchte ich, daß Helga alles bekommt. Außer meine Aufzeichnungen und Erinnerungen. Sie weiß, daß sie sie vernichten muß.

Lars Belden blättert in dem Fotoalbum mit dem Buchstaben F und entdeckt die Frau mit dem Gedicht. Er sieht sie vor sich, wie sie es rezitiert, eine Hand auf dem Sarg, der Blick gedankenverloren. Helga. Sie war die einzige Person, von der Sela Huber hin und wieder erzählte. Alle anderen, wenn es sie denn gab, bildeten ein Nebelmeer. *Ich weiß nicht mehr, mit wem ich zusammen war ... Keine Ahnung, wer mich da begleitet hat ... Möglicherweise gab es da jemanden, aber es ist schon so lange her ... Ich weiß es nicht mehr.*

Die Fotos mit Orts- und Datumsangabe zeigen sie fast immer allein. Hin und wieder ist Sela Huber an ihrer Seite, die Augen starr auf die Kamera gerichtet. Tiefliegend, voller Schwermut, wehrlos. Eine Wand.

Lars Belden hebt die Folie über den Fotos an und nimmt eine Aufnahme von Helga heraus. Er steckt sie in seine Tasche zu dem Gedenkblatt für Sela Huber.

Die ›Lachrimae‹ von Dowland verstummen.

Lars Belden geht ins Wohnzimmer und öffnet die Fensterläden. Er meint sich an ein Adreßbuch neben dem Telefon zu erinnern. Er sucht darin Helgas Adresse und schreibt sie ab.

Ein jeder steht allein auf dem Herzen der Erde, getroffen von einem Sonnenstrahl: Und schon ist es Abend.

Das gelbe Licht der Straßenlaternen läßt die Windschutzscheiben der nassen Autos glitzern. Rinnsale. Auf der gegenüberliegenden Straßenseite nur ein einziges erleuchtetes Fenster.

Lars Belden kehrt zurück ins Regalzimmer und blättert im ersten Notizbuch mit einem E auf dem Rücken.

Ich hätte ihn nicht wiedererkannt. Erst als er mir das Gruppenbild unseres Studienjahrgangs zeigte, habe ich mich wieder an ihn erinnert. Wir haben ein wenig über unser beider Leben in den letzten zwanzig Jahren geplaudert und die Studentenzeit Revue passieren lassen (Kassette E 1). Es überrascht mich, wie manche Menschen sich so viele Geschichten und Anekdoten merken können. Ich beneide sie darum.

Lars Belden legt die Kassette E 1 in den Recorder. Nervös spult er vor.

»Du bist die zweite von unten.«

»Also, ob du es glaubst oder nicht, dieses Abschlußfoto habe ich nie bekommen. Leihst du es mir, damit ich mir einen Abzug machen lassen kann?«

»Natürlich.«

»Zwanzig Jahre ...«

»Ja, aber du hast dich nicht verändert.«

»Doch, bestimmt ...«

»Was sollte eigentlich die Anzeige? Ich konnte mir zunächst keinen Reim darauf machen ... Jemand, der per Zeitungsannonce Dinge aus seiner eigenen Vergangenheit erfahren will. Etwas eigenartig, findest du nicht? ... Als ich dann deinen Namen las, staunte ich erst recht. Ich konnte kaum glauben, daß die Anzeige von dir sein sollte … und daß du dermaßen übergeschnappt bist. Das war das erste, was mir durch den Kopf ging. Ich hoffe, du nimmst mir das nicht übel. Danach fand ich es halb so wild. Und jetzt bin ich hier. Ich konnte nicht anders.«

»Ja, vermutlich kann man es ein wenig seltsam finden.«

»Ich weiß nicht, ob ›seltsam‹ das richtige Wort ist, aber lassen wir das. Wie bist du denn auf die Idee gekommen?«

»Durch einen Leserbrief in der Zeitung. Ein ehemaliger Soldat suchte alte Kriegskameraden. Du weißt schon, von der und der Division oder Brigade … Die Überschrift klang sehr geheimnisvoll: ›Wer hat mich gekannt?‹ Ich fand die Idee gut und dachte, ich könnte sie vielleicht für meine Zwecke aufgreifen. Ich beschäftige mich viel mit meiner Vergangenheit. Gedächtnislücken beunruhigen mich. Dich nicht?«

»Doch, aber nicht so sehr, daß ich deswegen eine Anzeige in die Zeitung setzen würde.«

»Na ja, ich weiß nicht …«

»Und? Wie reagieren die Leute?«

»Bis jetzt gar nicht … Du bist der erste.«

»Vielleicht haben sie die Anzeige nicht richtig verstanden. Zumal auch nicht alle in dich verliebt waren, so wie ich.«

Ich fand Edmond seinerzeit auch ganz nett, aber ich wollte damals mit niemandem etwas anfangen. Nur ein einziges Mal, auf einem Fest, hatten wir uns zum Knutschen in ein Zimmer verzogen. Ich weiß noch, daß ich anschließend Mühe hatte, ihm begreiflich zu machen, daß alles beim alten bleiben würde.

»Es hat mich damals sehr getroffen, daß du nichts von mir wissen wolltest.«

»Tut mir leid ... wirklich.«

»Laß nur, ist schon in Ordnung. Am liebsten würde ich es noch einmal versuchen. Weißt du, manchmal hinterläßt die Liebe keinen schlechten Nachgeschmack, auch wenn man einen Korb bekommen hat. Ich habe dich immer in guter Erinnerung behalten ...«

Wir haben uns erst viermal getroffen, aber zwischen uns ist es noch genauso wie damals auf dem Fest, so als lägen nicht all die Jahre dazwischen. Edmond gefällt mir. Und zu wissen, daß Beziehungen auch anders sein können, ist sehr beruhigend. Noch vor nicht allzu langer Zeit hätte ich mir nicht vorstellen können, mit jemandem zusammenzusein, ohne mich bedroht zu fühlen.

»Und wie läuft es so bei dir?«

Sela Hubers Stimme klingt auf einmal hart.

»Wie bei allen anderen auch, nehme ich an. Mal gut, mal schlecht. Keine Ahnung ... Es ist verdammt hart, mit jemandem zusammenzuleben, der einen zugrunde richtet, ohne daß man es merkt ... Und wenn es einem dann irgendwann klar wird, ist es zu spät.«

Lars Belden steht auf, um sich zu strecken. Er tritt in den Flur. Streicht über die Blätter einer Pflanze. Prüft, ob die Erde trocken ist. Gießt sie. Dann geht er in die Küche und trinkt die Weinflasche aus dem Kühlschrank leer.

Das Geräusch eines Radios, einer Wasserspülung, einer sich schließenden Tür.

Es ist verdammt hart, mit jemandem zusammenzuleben, der einen zugrunde richtet, ohne daß man es merkt ... Und wenn es einem dann irgendwann klar wird, ist es zu spät.

Wind.

Auf den wenigen Fotos, die es von den beiden gibt, sieht Edmond Lenz Sela Huber fast immerzu an.

Wir haben das ganze Wochenende zu Hause verbracht. Orangenblüten. ›Duo seraphim‹ von Claudio Monteverdi. Hellgrüne Bettwäsche (Kassetten E 8 und E 9; Video E 1).

Lars Belden setzt den Kassetten- und den Videorecorder in Gang.

Das Klappern von Tellern und Besteck.

»Das versteht sich von selbst. Ihr Skorpione seid doch alle gleich.«

»Oho, man bemüht die Wissenschaft.«

Lars Belden spult die Kassette vor.

Die Kamera fährt langsam über Edmond Lenz' nackten Körper und verharrt lange auf dem Gesicht des Schlafenden.

»Man darf es aber auch nicht so ernst nehmen. Er ist doch bloß der Personalchef.«

»Das sagst du so. Du mußt ja nicht mit ihm klarkommen. Du hast es wirklich leicht, hier allein mit deinen Büchern, ohne daß dir jemand auf den Nerven herumtrampelt.«

Schweigen.

»Aber die Realität existiert, auch wenn sie für dich nur die Kulisse bildet.«

Es sieht aus, als schütze Monteverdis Musik Edmond Lenz' geschlossene Augen vor dem Licht.

Lars Belden spult die Kassette noch ein Stück vor.

»Hast du nie daran gedacht, noch einmal zu heiraten?«

»Doch, sobald ich eine Frau wie dich finde, die mich liebt.«

Lachen. Schweigen. Flüstern. Schweigen. Stöhnen.

Zoom auf Edmond Lenz' geschlossene Augen.

Monteverdi.

Die Anzeige funktioniert nicht so, wie ich dachte. Sie überschätzen alle ihr Erinnerungsvermögen. Wenn es um Details geht, kommen sie wie ich ins Schleudern, oder sogar noch mehr. Dann verfälschen sie die Tatsachen. Ich weiß nicht, bis zu welchem Punkt sie sich dessen bewußt sind, aber was sie auf die Erinnerung zurückführen, ist häufig eine Geschichte, die nichts mit dem zu tun hat, was wirklich passiert ist. Edmond meint, ich solle damit aufhören. Manchmal denke ich das auch, aber ich habe Angst, daß mir dann ein wichtiges Teil des Puzzles fehlt.

Sie hatten häufig über das Gedächtnis gesprochen. Es war eines der Themen, die Sela Huber unablässig beschäftigten.

»Macht es dir denn nichts aus, so wenig über deine Kindheit zu wissen?«

»Ich begnüge mich mit dem, was da ist … Zumal ich nicht weiß, ob ich auf die Hilfe des Vergessens verzichten möchte …«

»Auf die Hilfe des Vergessens verzichten?«

»Ja, ich weiß nicht, ob es sich lohnt, bestimmte Dinge auszugraben. So wie es ist, ist es gut. Das genügt mir.«

»Mir nicht. Ich will unter allen Umständen verhindern, daß sich meine Vergangenheit verflüchtigt.«

Gestern hat Edmond in meinem Zimmer herumgeschnüffelt, während ich unter der Dusche stand. Ich habe es heute nachmittag gemerkt. Keine Ahnung, was er alles gesehen hat, aber ganz sicher hat er in einem der schwarzen Notizbücher gelesen. Ich bin enttäuscht. Und wütend. Ich mag ihn die nächsten Tage nicht sehen.

Je weiter Lars Belden vordringt, desto weniger begreift er. Er hat das Gefühl, im dunkeln zu tappen, vom ungnädigen blinden Zufall abhängig zu sein. Die Fragen häufen sich. Anstatt ihn zum Ausgang zu lotsen, führt ihn jeder Faden, den er zu fassen bekommt, immer tiefer in das Labyrinth hinein. Edmond Lenz. Die unantastbare Präsenz einer früheren Bedrohung. Die Geheimnisse des Regalzimmers.

Die Platane wirft verzerrte Schatten an die Zimmerdecke.

Lars Belden legt sich aufs Sofa, um sich eine Weile auszuruhen. Lauscht dem Trommeln des Regens.

Ein Kälteschauder.

Sela Hubers Silhouette zeichnet sich vom Fenster ab.

»Einmal mußte ich miterleben, wie mein Vater vor Angst schrie, weil er sein eigenes Spiegelbild nicht erkannte.«

Sela Hubers zitternde Stimme hatte Lars Belden fast das Herz abgedrückt.

»Ich mußte alle Spiegel aus der Wohnung schaffen. So etwas kann man sich kaum vorstellen, wenn man es nicht selbst erlebt hat. Die Krankheit beginnt ganz harmlos, aber irgendwann, wenn man es am wenigsten erwartet, schlägt sie mit voller Wucht zu, und das Vergessen greift um sich wie eine Seuche. Heute sind es die Schlüssel, morgen bestimmte Wörter oder Orte. Dann das Anziehen oder Gehen. Wie bei einem Kind, nur verläuft die Entwicklung umgekehrt. Um schließlich wie ein Fötus zusammengekauert zu sterben, ohne zu wissen, wer man ist.«

»Das muß doch noch längst nicht bedeuten, daß es dir zwangsläufig genauso ergehen wird.«

»Ja, das ist mir schon klar. Aber ein Unglück kommt selten allein. Und das Gedächtnis war schon immer eines meiner zentralen Themen. Ich kann nicht anders. Und will es auch nicht. Schon als Kind habe ich mich gefragt, ob ich mich für alle Zeiten an sämtliche magischen Momente in meinem Leben erinnern würde. An ein Geburtstagsfest, einen Film, einen Ausflug, ein Geschenk … Ich hatte Angst, diese Momente aus dem Gedächtnis zu verlieren. Ich hätte alles dafür getan, sie vor dem Vergessen zu bewahren. Eine Zeitlang dachte ich, wenn ich meine Wahrnehmung schärfe und restlos alles aufhebe, was mich an diese Augenblicke erinnert, gelänge es mir, sie lebendig zu halten. Aber weit gefehlt. Wenn ich sie nach Tagen oder Monaten ins Gedächtnis zurückrufen wollte, war etwas davon bereits verlorengegangen. Es war schon nicht mehr dasselbe. Damals entdeckte ich das Schreiben.«

Lars Belden hatte sich Sela Hubers Kinderschrift vorgestellt. Der kleine Finger blau, weil er ständig über das karierte Papier strich. Die Augenblicke des Zögerns. Die unergründliche Magie dessen, was die Zeit überdauern will.

»Ich schrieb ganze Tagebücher voll. Aber nicht wie die anderen Mädchen, mit denen ich mich in der Pause oder beim Essen unterhielt. Ich füllte sie nicht nur mit Träumen und Sehnsüchten, mit Verliebtheiten und unaussprechlichen Geheimnissen, sondern beschrieb auch die Schauplätze und die Handlung … die Farben, Düfte, Klänge, Geschmackserlebnisse … all das, was aus dem Gedächtnis einen einzigartigen, unverwechselbaren Raum macht. Ich führte über alles Buch. Etwas festzuhalten wurde zu einem Reflex. Ich war überzeugt davon, daß ich mich auf Dauer nur so vor dem Vergessen schützen könnte. Ich dachte daran, was ich in Zukunft davon vorfinden wollte, und tat alles, was in meiner Macht stand, um der Zeit voraus zu sein.«

Sela Huber hatte sich, während sie sprach, kein einziges Mal umgedreht, als wären ihre Worte ausschließlich für jemanden bestimmt, der sie vom Balkon aus ansah.

Oder für mich, überlegt Lars Belden, der ich ihr im Hauseingang gegenüber auflauerte und ihre Fenster, das Licht und die Fensterläden nicht aus den Augen ließ … in der Hoffnung, etwas zu entdecken, an dem ich mich festhalten könnte, irgendein Zeichen.

»Und ich stellte Fragen. Meinen Eltern, den Großeltern, wem auch immer … Ich konnte nicht verstehen, daß meine Kindheit auf ein Holzkistchen voller ungeordneter Fotos ohne Datums- und Ortsangaben sowie auf eine Schublade voller Filme mit so wenig aufschlußreichen Beschriftungen wie ›Weihnachten‹, ›Ostern 1966‹ oder ›Sommerferien am Strand‹ zusammengeschrumpft war. Und manchmal fehlte selbst das. Ich brauchte mehr Informationen. Dennoch beließ ich es jahrelang dabei. Ich begnügte mich damit, die Methoden des Beschreibens und Archivierens zu vervollkommnen. Vor allem nachdem mein Vater an Alzheimer erkrankte: seinen Zerfall mitzuerleben bestätigte alle meine Befürchtungen. Ich wußte zwar, daß meine Vorkehrungen nichts nützen würden, falls ich die Krankheit erbte, trotzdem fühlte ich mich ruhiger, so wie jemand, der einen Wall aus Sandsäcken baut, um sich vor einer unaufhaltsamen Überschwemmung zu schützen.«

Plötzlich war Sela Huber verstummt.

Lange hatte Lars Belden, auf die sporadischen Geräusche der Autos achtend, stumm auf das Ende des Monologs gewartet. *Dennoch beließ ich es jahrelang dabei.* Jetzt weiß er, daß Sela Huber den Rest mit Absicht weggelassen hat: die Anzeige, die Gespräche mit den Menschen aus ihrer Vergangenheit, das Regalzimmer.

Daraufhin hatte sich Sela Huber hingesetzt, mit einem jener entrückten Blicke, die ihm keine andere Wahl ließen, als sich geschlagen zu geben und sie allein zu lassen.

»Ich will unter allen Umständen verhindern, daß sich meine Vergangenheit verflüchtigt.«

Wie flüchtige Stalaktiten verformen die Regentropfen die schmiedeeisernen Spiralen des Geländers.

Lars Belden steht vor den Regalen und sucht nach den schwarzen Notizbüchern. Er findet sie nicht, dafür fällt ihm zum ersten Mal eine unbeschriftete Mappe auf. Er öffnet sie und zieht ein paar Oktavhefte mit dunkelgrauem Kunststoffeinband heraus.

Sela Hubers kleine, kompakte Schrift füllt die Seiten von oben bis unten, fast ohne Zwischenräume.

Tinte. Düne.

Scheinbar ohne Ordnung reihen sich Notizen, Verabredungen, Namen, Listen von Parfüms, Speisefolgen, Musikstücken und Farben aneinander ...

Das Projekt des Regalzimmers raubt mir den Schlaf.

Ich weiß, wenn ich die Krankheit meines Vaters erbe, werden mir meine Vorkehrungen nichts nützen, aber das ist mir egal. Ich will nicht daran denken. Ich mag das Gefühl, die Vergangenheit zu bewahren, sie bewohnbar zu machen, mich in ihr bewegen zu können ohne Angst, in den Abgrund des Vergessens zu stürzen.

Lavendel, Thymian, Rosmarin, Bergamotte, Orange, Mandarine, Veilchen, Magnolie, Rose, Primel, Jasmin ...

Manchmal sind einige Dinge in den Listen angekreuzt oder verweisen auf neue Listen. Lars Belden springt von einer Seite zur nächsten. Er vergleicht. Und stellt Verbindungen her.

21. Oktober 1982. Edmond Lenz. Magnolie. Biber. Hellgrün.

17. Dezember 1982. Edmond Lenz. Veilchen. Gesualdo. Hellgrün.

Lars Belden sucht sich selbst.

14. April 1988. Lars Belden. Jasmin. Lonati. Dunkelblau.

18. April 1988. Lars Belden. Lavendel. Brahms. Dunkelblau.

Nur wenn man eine ausreichend starke, eindeutige Verknüpfung zwischen allen Elementen herstellt, aus denen sich eine Erinnerung zusammensetzt, kann man ihr Fortbestehen sichern.

Bach, Biber, Brahms, Britten, Carter, De Visée, Dowland, Fauré, Gesualdo...

Während einer Rückfahrt am Sonntagabend hatte Lars Belden im Auto auf den Kassettenrecorder gedeutet.

»Bist du es nicht allmählich leid, das ganze Wochenende über dieselbe Musik zu hören?«

»Nein, sie gefällt mir.«

»Mir inzwischen nicht mehr so.«

»Wenn du sie aber irgendwann wieder hörst, mußt du bestimmt an diese beiden Tage denken...«

Weiß, gelb, orange, rot, rosa, grün, hellblau, dunkelblau, dunkelrot, violett, ocker, braun, grau, schwarz ...

»Welche Farbe bist du?«

» ... «

»Hast du dir das noch nie überlegt?«

»Nein.«

»Und wenn ich dich jetzt bitten würde, dir eine auszusuchen, welche würdest du dann wählen?«

»Dunkelblau.«

Das Buch von Brickley über Gedächtnistraining hat mir sehr weitergeholfen.

Wer hat mich gekannt? Liste der Zeitungen, in der die Anzeige erscheinen soll.

Nur die unzerstörbare Verbindung der einzelnen Teile kann ein solides Ganzes erschaffen, das dem Zahn der Zeit standzuhalten vermag.

Die Anzeige funktioniert nicht. Trotz einiger übereinstimmender Versionen, die mir die Sicherheit geben, eine tragfähige Vergangenheit ohne große Lücken zu besitzen, überwiegen doch die Widersprüche und nicht überprüfbaren Ereignisse. Wenn ich die Erinnerungen abzugleichen versuche, komme ich allzuoft zu keinem eindeutigen Schluß, so daß der Rattenschwanz an Unklarheiten und unbeantworteten Fragen stetig wächst.

Ich hoffe, Helga hält Wort und verbrennt alles.

Auf der letzten Seite des zweiten Notizbuchs steht nur ein Eintrag.

Vielleicht habe ich einfach nur mein Leben. Nichts weiter.
Und schon ist es Abend.

Der Regen füllt die Vertiefungen um die Bäume, Blätter schwimmen darauf, treiben über die Umrandung und verfangen sich in den Gullygittern.

Lars Belden sieht auf die Uhr und kehrt zu den Notizbüchern mit dem Buchstaben E zurück.

Edmond hat mich um Verzeihung gebeten. Vermutlich hat er recht, und die Sache ist halb so wild. Für ihn ist es nur ein ganz normales Zimmer. Er hat mir hoch und heilig versprochen, es nie wieder zu betreten. Ich glaube ihm, aber ich werde vorsichtiger sein müssen. Ich habe schon öfter überlegt, ob ich an der Tür ein Schloß anbringen soll, aber irgend etwas hält mich davon ab. Es wäre, als würde ich eine Distanz dazu schaffen wollen, die ich eigentlich nicht haben will.

Selten habe ich mich zu jemandem so hingezogen gefühlt. Mein Leben kreist nur um ihn, um alles, was er sagt und tut. Oft denke ich, ich habe nichts dazugelernt und bin nur imstande, Beziehungen mit einem hohen Grad an Abhängigkeit einzugehen. Aber zumindest finde ich es beruhigend, daß Edmond mir bis jetzt nie das Gefühl gegeben hat, einer Situation ausgesetzt zu sein, die mich zugrunde richtet. Wenn die Dinge kompliziert werden, habe ich hoffentlich den Mut, rasch zu handeln.

Warum suchen wir immer dasselbe?

Wenn Sela Huber ihm eine Frage stellte, wartete sie immer begierig auf die Antwort. Die Ungeduld übertrug sich dann auf ihre Augen, die Bewegungen ihrer Hände und ihres Körpers, als hinge von seiner Antwort mehr ab als bloß der Fortgang ihres Gesprächs.

»Wie oft im Leben hast du dich verliebt?«

Überdies fragte sie in der Regel ohne Umschweife, so daß ihre unglaubliche Wißbegier gelegentlich zu peinlichen Situationen führte. Lars Belden hatte lange gebraucht, bis er sich daran gewöhnt hatte.

»Dreimal, soweit ich mich erinnere.«

»Und meinst du nicht, daß du dabei immer dasselbe gesucht hast?«

»Tja, schwer zu sagen…«

»Es ist, als wollten wir unser eigenes Wesen jedesmal mit demselben Teil vervollständigen.«

> Heute habe ich beim Nachhausekommen eine höchst seltsame Nachricht auf dem Anrufbeantworter vorgefunden. »Du solltest Edmond Lenz lieber den Laufpaß geben.« Ich weiß nicht, was ich davon halten soll (Kassette E 21).

Lars Belden schiebt eine andere Kassette in den Recorder. Die verbrauchte, rauhe, beinahe verzerrte Stimme des Unbekannten bringt seine Hand, mit der er die Fernbedienung hält, zum Zittern. Lars Belden erkennt sie sofort wieder. Er hat sie den ganzen Tag im Ohr gehabt. *Ich dachte, es sei alles klar. Ich verstehe nicht, warum du nicht die Finger von ihm läßt. Denk an Edmond Lenz.*

Den Rest der Nacht zieht Lars Belden planlos Notizbücher, Kassetten, Kartons und Fotos aus den Regalen, um dann von den Fotos wieder zu den Kassetten zurückzukehren. Je näher der Morgen rückt, desto hektischer wird er.

Neben dem Fernseher bilden sich Stapel von Kassetten und Videobändern.

Sela Hubers Schrift wird zu einer Spur der Angst. Tinte. Düne.

Die Nachricht auf dem Anrufbeantworter hat mich sehr beunruhigt. Keine Ahnung, was da gerade vor sich geht, aber alles paßt zusammen. Der Unbekannte aus meinen Träumen. Gewisse Wahrnehmungen, scheinbar unbedeutende Kleinigkeiten, die Schatten... Das waren keine Hirngespinste. Jemand bespitzelt mich.

Lars Belden geht es genauso. *Gewisse Wahrnehmungen, scheinbar unbedeutende Kleinigkeiten, die Schatten ... Das waren keine Hirngespinste. Jemand bespitzelt mich.* Seit der ersten Nacht in Sela Hubers Wohnung wird er das Gefühl nicht los, daß jemand über sein Kommen und Gehen genau Bescheid weiß und jede seiner Bewegungen überwacht.

Seit dem Anruf ist mir nicht mehr richtig wohl, wenn ich mit Edmond zusammen bin. Ich weiß nicht, ob ich mit ihm darüber sprechen soll. Ich fürchte mich vor dem, was geschehen könnte. Manchmal spüre ich, daß die Zeitungsanzeige unsere Beziehung überschattet. Noch immer gehen mir seine Worte vom ersten Tag nicht aus dem Kopf. »Ich konnte kaum glauben, daß die Anzeige von dir sein sollte ... und daß du dermaßen übergeschnappt bist.« Ich möchte ihm keinen Grund geben, an mir zu zweifeln. Manche meiner Obsessionen versteht er einfach nicht. Und ich liebe ihn viel zu sehr, um ein Risiko einzugehen.

Heute hat der Unbekannte wieder angerufen. Diesmal klang seine Stimme wesentlich herrischer. Er hat mir angst gemacht. Ich war nicht in der Lage, sein Spiel mitzuspielen, um herauszufinden, was er eigentlich vorhat.

»Laß die Finger von ihm.«
    »Was soll das?«
    »Das spielt überhaupt keine Rolle. Die Dinge liegen nun einmal so. Und ich bin hier, um dich daran zu erinnern.«
    »Um mich woran zu erinnern?«
    »Keine Spielchen. Du weißt ganz genau, was ich meine.«

Ich habe Edmond gesagt, daß es besser ist, wenn wir uns eine Zeitlang nicht sehen. Er hat ziemlich geschluckt. Ich hoffe, er kommt damit klar. Ich will ihn nicht verlieren.

Sela Hubers Stimme erfüllt den Raum, rüttelt an den Schatten. Dann kommt die von Edmond Lenz hinzu. Im Hintergrund die Geräuschkulisse eines Lokals.
    »Was muß ich tun, damit du es endlich begreifst?«

»Was soll ich begreifen?«

»Daß ich überhaupt nichts habe.«

»Warum bist du dann so distanziert?«

»Was möchten Sie trinken?«

»Ich hätte gern einen Kaffee.«

»Für mich bitte einen koffeinfreien mit Milch.«

»He! Warum?«

»Warum was?«

»Du bist unmöglich.«

»Ich bin nun mal so.«

»Aber...«

»Nichts aber. Ich hätte nur gern, daß wir uns eine Zeitlang weniger sehen.«

»Warum kommst du mir ausgerechnet jetzt damit?«

»Ich brauche Zeit zum Nachdenken... Ist das so schwer zu verstehen?«

Schweigen.

»He, ist das so schwer?«

»Ja, ziemlich. Vor allem jetzt, wo alles so gut zu laufen schien.«

»Tut mir leid, wirklich, aber es gibt Dinge, die ich nicht in der Hand habe.«

Lars Belden stellt sich vor, wie Edmond Lenz unterdessen mit einer Papierserviette herumspielt oder mit der Fingerspitze über die Risse in der marmornen Tischplatte fährt. All das kommt ihm nur allzu bekannt vor.

Die Tage vergehen im Schneckentempo. Es ist, als habe die Zeit sich mit dem Kummer verbündet, um ihn noch zu steigern. Oder um meine Willenskraft zu sabotieren. Ich vermisse Edmond. Jeden Tag mehr. Ich muß mich wirklich beherrschen, um ihn nicht anzurufen. Er hat sich nicht gerührt. Ich nehme an, er ist zu gekränkt. Manchmal denke ich, es ist naiv zu glauben, mit Abwarten sei es getan. Vielleicht täusche ich mich ja, wenn ich mir immer wieder sage, daß alles nur eine Frage der Zeit ist.

Ich habe es nicht mehr ausgehalten. Wir haben uns getroffen. Im nachhinein bereue ich es. Es ist meine Schuld. Wegen einer Nichtigkeit habe ich die Fassung verloren. Es müssen die Nerven sein.

»Wo hast du den Schal? Gefällt er dir nicht?«

»Doch, sehr.«

»Du trägst ihn aber nicht …«

»Also, es ist so … als ich aus dem Haus ging, habe ich ihn nicht gefunden … Ehrlich gesagt vermisse ich ihn schon seit Tagen …«

»Da sieht man mal, wie wichtig ich dir bin.«

»Wie bitte?«

»Was würdest *du* denken, wenn ich eines von deinen Geschenken verlieren würde?«

»Meinst du nicht, du übertreibst etwas? So was kann doch jedem mal passieren. Das bedeutet weiter nichts ... Warum bist du nur so kompliziert?«

Ich muß mit Edmond reden. Ich habe ein Päckchen mit seinem Schal und einer Nachricht des Unbekannten erhalten. Die Sache wird immer verzwickter, und nach der Szene von neulich fürchte ich Edmonds Reaktion. Ich weiß nicht, ob ich seine Hilfe beanspruchen darf, gleichzeitig habe ich aber einen Horror davor, wieder allein zu sein. Jede Nacht träume ich dasselbe: Ich träume von dem Mann, der mich überallhin verfolgt, ich laufe davon, bemerke Schatten, bekomme Anrufe, sehe ausgestorbene Straßen und leere Zimmer. Dann wache ich völlig verängstigt auf und muß in der ganzen Wohnung Licht machen.

Lars Belden durchsucht Edmond Lenz' Kartons, bis er das Päckchen mit dem in Seidenpapier eingeschlagenen Schal findet. Die Schrift des Unbekannten ist wie seine Stimme. Rauh, voller Ecken und Kanten: *Allmählich reißt mir die Geduld. Denk daran, daß Dein Freund sehr verletzlich ist.*

Wir haben uns noch einmal getroffen. Ich habe ihm alles erklärt. Nie werde ich vergessen, was für ein Gesicht Edmond beim Zuhören machte. Von einer Trennung wollte er nichts wissen. Wir haben beschlossen, die Polizei einzuschalten und weiterzuleben, als ob nichts wäre. Edmonds Kaltblütigkeit erschreckt mich ein wenig, aber er hat recht: Viel schlimmer kann es gar nicht mehr werden. Wenn ich mir die Sache recht überlege, gefällt es mir eigentlich sehr, daß er sich seiner Gefühle so sicher ist. Trotz der Angst geht es mir deshalb ganz gut. Ich weiß nicht, ob ich nicht zu egoistisch bin.

In der Post war eine Kassette mit unserem gestrigen Gespräch und der Notiz: »Als kleiner Vorgeschmack.« Der Unbekannte hat auf der Kassette sämtliche Äußerungen von Edmond herausgeschnitten. Es ist nur noch meine Stimme zu hören, allein, verloren, mitten im Lärm des Lokals. Jeder gelöschte Satz ist wie ein Schlag ins Gesicht. Ich hätte nie gedacht, daß Stille so intensiv sein kann, so schmerzhaft.

»Das ist alles.«

»...«

»Du wirst mir doch jetzt nicht sagen wollen, daß wir es als Scherz abtun sollten!«

»...«

»Das glaubst du...«

»...«

»Meinst du nicht, wir sollten etwas unternehmen?«

»...«

»Das würde mich sicher beruhigen...«

»...«

»Und du?«

»...«

»Was willst du tun?«

»...«

»Bist du sicher, daß du nicht eine Zeitlang auf Distanz gehen willst?«

»...«

Einige Sekunden lang vermischt sich die Unruhe in dem Lokal mit dem wilden Prasseln des Regens.

Lars Belden nimmt die Aufnahme des Unbekannten aus dem Recorder und sucht die von Sela Huber.

»Das ist alles.«

»Sicher ist es nur ein Spinner, der dir einen Schrecken einjagen will. Der gibt bestimmt bald auf.«

»Du wirst mir doch jetzt nicht sagen wollen, daß wir es als Scherz abtun sollten!«

»Nein, aber wir dürfen auch nicht den Kopf verlieren.«

»Das glaubst du...«

»Ach komm, du wirst schon sehen, alles renkt sich wieder ein.«

»Meinst du nicht, wir sollten etwas unternehmen?«

»Wenn du willst, schalten wir die Polizei ein.«

»Das würde mich sicher beruhigen...«

»Dann gehen wir morgen zusammen hin.«

»Und du?«

»Was soll mit mir sein?«

»Was willst du tun?«

»Nichts.«

»Bist du sicher, daß du nicht eine Zeitlang auf Distanz gehen willst?«

»Nein. Das Leben ist viel zu kurz, um klein beizugeben.«
Kälte.

Ich kann nicht mehr und weiß auch nicht mehr weiter. Die Zeit vergeht ohne Neuigkeiten. Die Polizei hat nichts herausgefunden. Edmond gibt sich, zumindest nach außen hin, gelassen. Mein Leben kreist um das Telefon und den Briefkasten. An manchen Tagen gehe ich drei- oder viermal hinunter und sehe nach. Bisweilen denke ich, alles sei ausgestanden. Manchmal glaube ich es sogar, aber das hält nie lange vor; am Ende beschleicht mich immer wieder die Angst. Es ist, als würden die Träume langsam, aber sicher die Oberhand gewinnen. Zumal es im Umgang mit Edmond – unter der oberflächlichen Gelassenheit, die wir nicht offen in Frage stellen – etwas gibt, das nicht funktioniert. Immer öfter schweigen wir uns an. Wir streiten uns wegen Nichtigkeiten. Ich weiß nicht, ob wir nur noch zusammen sind, um uns nicht trennen zu müssen.

Seit einer Woche habe ich nichts mehr von Edmond gehört. Er geht nicht ans Telefon. Die Polizei kann mir auch keine Auskunft geben. Wie ich es bereue, geschrieben zu haben, daß wir nur noch zusammen sind, um uns nicht trennen zu müssen. Nie hätte ich gedacht, daß ich ihn derartig vermissen könnte. Ich bin unfähig, irgend etwas anderes zu tun als zu warten. Ein ums andere Mal lege ich die Kassetten mit Edmond ein, sehe mir die Videos an. Ich mag seine Stimme, seine Art, sich zu bewegen und mich anzuschauen.

Der Unbekannte hat mich um Mitternacht geweckt. Völlig überrumpelt konnte ich gerade noch die Aufnahmetaste des Kassettenrecorders drükken. Ich höre seine Worte immer wieder, wie eine Litanei. Sie gehen mir nicht mehr aus dem Kopf.

»Du hast mir keine Wahl gelassen. Niemand sonst hätte so viel Geduld gehabt.«
»Wo ist Edmond?«
»Weg. Ich hoffe, du kannst es verstehen. Morgen.«

Heute habe ich noch ein Päckchen bekommen. Es hat lange gedauert, bis ich es ausgepackt habe. Ich hatte Angst. Ungeheure, unermeßliche Angst. Als ich das Video schließlich ansah, durchzuckte mich ein schneidender Schmerz. Als stocherte jemand mit einem Messer in meinen Eingeweiden herum, um das Zentrum meiner Verzweiflung zu treffen. Danach habe ich geweint wie noch nie, stundenlang, als wäre etwas in mir in tausend Stücke zerborsten. Ich habe mich noch nie so elend gefühlt. Die Schuld, die Last der Schuld ... Ich weiß nicht, ob ich das lange ertragen kann. Wie soll man weiterleben, wenn man sich für jemandes Tod verantwortlich fühlt?

Lars Belden lehnt sich im Sessel zurück und schließt die Augen.

Tropfen. Tränen. Selas Augen. Ich will dir auf keinen Fall weh tun. Wie bitte? Die ›Lachrimae‹ von Dowland. Hast du dich jemals schuldig gefühlt? Das bleibt wohl keinem erspart, aber ich versuche, mich deswegen nicht verrückt zu machen. Manchmal habe ich das Gefühl, viel zu viele Fragen mit mir herumzuschleppen. Was wäre passiert, wenn ...? Was, wenn ich hierhin gegangen wäre anstatt dorthin? Was, wenn ich im richtigen Moment den Mund aufgemacht hätte? Jeder dieser Zweifel schließt das entsprechende Quantum Schuld für den womöglich begangenen Fehler mit ein. Ja, ich konnte es mir nie erklären, aber Sela hat sich immer schuldig gefühlt an Edmonds Verschwinden. Sie wollte bloß nie darüber reden.

Lars Belden legt eine neue Videokassette ein.

Der Bildschirm des Fernsehers flimmert.

Die Videoaufnahmen drehen Lars Belden den Magen um. Das Skalpell arbeitet sich vorwärts wie ein Eisbrecher. Die Leiche des blassen, aufgeschwemmten Mannes liegt auf einem Seziertisch. Die starre Kamera erfaßt ihn fast ganz. Bis auf den Kopf und die Füße. Man hört nur das Klirren der Metallwerkzeuge und die monotone Stimme des Gerichtsmediziners. Lars Belden überkommt eine dunkle Vorahnung. Aber er muß warten, bis die Kamera ganz langsam zu Edmond Lenz' Gesicht schwenkt. Es ist aufgedunsen, und die Augen stehen weit offen.

Lars Belden rennt ins Bad und übergibt sich. Danach wäscht er sich das Gesicht und spült den Mund aus, um den schlechten Geschmack loszuwerden.

Sein Spiegelbild verschmilzt mit dem von Sela Huber, die ihn von hinten umarmt, während er sich rasiert.

»Vergiß nicht, daß jeden Moment alles aus sein kann.«

»Du und deine Geheimnisse.«

Selas wie hinter einer dünnen Eisschicht gefangene Augen waren mit einem Schlag traurig geworden.

»Ja, ich und meine Geheimnisse.«

Dann hatten sie sich lange in den Armen gehalten. Schweigend. Nur auf den fragilen Rhythmus ihrer Atemzüge achtend.

»Wann wirst du mir endlich vertrauen?«

Sela Huber hatte ihn geküßt.

Das Geräusch eines Radios, einer Wasserspülung, einer sich schließenden Tür.

Lars Belden schließt die Fensterläden im Wohnzimmer. Er sammelt die Notizbücher und Videos ein und ordnet sie. Als sein Blick auf das ungerahmte Foto von Sela Huber fällt, begegnen sich ihre Augen einige Sekunden lang.

»Warum siehst du mich so an?«

Manchmal wußte Lars Belden nicht, was er mit Sela Hubers Blick anfangen sollte. Er verlor sich in ihm, als müsse er darin ein ihm unbekanntes Alphabet entziffern.

»Wie sehe ich dich denn an?«

»So wie gerade eben. Als würdest du mich überhaupt nicht kennen.«

»Entschuldige, das habe ich gar nicht gemerkt.«

Nervosität. Hast. Zögern. Eine Abfolge von Fragen und Antworten, die zu nichts führen.

Der Regen zersplittert das milchige Licht des neuen Tages. Kälte.

Gedankenverloren geht Lars Belden die Treppe hinunter und tritt auf die Straße. *Nicht jeder hat die Geschichte, die er sich wünscht.*

IV

Mit dem Rücken an die Wohnungstür gelehnt, wartet Lars Belden, bis sich seine Augen ans Halbdunkel gewöhnt haben.

Die verwaisten Nägel, an denen die Garderobe und die schwarzweiße Luftaufnahme der Île de la Cité gehangen haben, verstärken noch das Gefühl übermächtiger Kälte.

Das Geräusch eines Radios, einer Wasserspülung, einer sich schließenden Tür.

Regen.

Lars Belden hält die Schlüssel fest in seiner geballten Faust und betritt das leergeräumte Wohnzimmer. Er öffnet die Fensterläden.

Das gelbe Licht der Straßenlaternen verzerrt die Schatten der verschwundenen Gegenstände.

Staub.

In einer Ecke stehen nur noch das Telefon und der Anrufbeantworter mit dem rot blinkenden Lämpchen. *Ein jeder steht allein auf dem Herzen der Erde, getroffen von einem Sonnenstrahl: Und schon ist es Abend.*

»Ich habe oft daran gedacht, all diese Möbel zu ersetzen.

Die Regale, die Sessel, den Teppich ... Aber ich wage es nicht. Es wäre, als würde ich ein Stück von mir selbst wegwerfen.«

»Du bist sentimental ...«

»Es ist immer das gleiche. Ich weiß noch, daß meine Eltern Kleidung oder Spielzeug weggaben, ohne es mir zu sagen. Sie mußten es heimlich tun, weil ich sonst bestimmt einen Wutanfall bekommen hätte.«

»Hast du eigentlich nie Lust gehabt, noch einmal ganz von vorn anzufangen?«

»Was würde mir denn dann noch bleiben?«

Vielleicht habe ich einfach nur mein Leben. Nichts weiter.

Der Gehweg, menschenleer und glänzend vor Nässe. Pfützen. Rinnsale. Auf der gegenüberliegenden Straßenseite nur ein einziges erleuchtetes Fenster.

Vorläufig ist das Zimmer mit den Regalen von der Wohnungsauflösung verschont geblieben. Lars Belden vermißt lediglich das ungerahmte Foto von Sela Huber sowie die Notizbücher, Videos und Kartons mit dem Buchstaben F.

Helga. *Wenn ich sterbe, möchte ich, daß Helga alles bekommt. Außer meine Aufzeichnungen und Erinnerungen. Sie weiß, daß sie sie vernichten muß.*

Er hat sie den ganzen Tag zu erreichen versucht. Telefonisch. Zu Hause. Vergeblich.

Lars Belden schlägt eines der Alben auf, nimmt ein Foto von Sela heraus und legt es dorthin, wo vorher das andere war. Ihr Blick beruhigt ihn. Auch wenn er sich in ihm ver-

liert, als müsse er darin ein ihm unbekanntes Alphabet entziffern, bewirkt er doch, daß er sich weniger einsam fühlt. Erneut liest er das Gedicht auf dem Gedenkblatt der Totenfeier. *Doch wir wollen nicht von den Toten sprechen, / sondern
uns allmählich an den Gedanken gewöhnen, / daß ein Teil von
ihnen / uns nahe ist. Wir wollen leben in Gesellschaft der Toten, /
als trenne uns nur eine Wand aus Rauch, / die uns daran hindert,
sie zu sehen.* Helga, eine Hand auf dem Sarg, der Blick gedankenverloren, kehrt mit ihrer Stimme zu ihm zurück wie
eine vertraute Melodie. Danach hatten sie alle noch eine
Weile auf die Tür der Einäscherungskammer gestarrt, als
könne noch keiner von ihnen Sela Huber in den Armen der
letzten weißglühenden Dunkelheit zurücklassen. Aus dem
Innern war, kaum hörbar, ein steriles Brummen gedrungen.
Helga war als letzte in das fahle Februarlicht hinausgetreten.

Jetzt fragt er sich, was ihm ein Gespräch mit ihr gebracht
hätte. Am Morgen, auf dem Nachhauseweg, war ihm das als
der einzige Ausweg erschienen. Frierend und bis auf die
Knochen durchnäßt, war er stundenlang durch den Regen
gelaufen, ohne auf den hektischen Verkehr zu achten, hatte
an Helga gedacht und seine Fragen geordnet. Nun ist er sich
nicht mehr so sicher, ob es etwas genützt hätte. *Es ist die Suche, die der Begegnung den wahrhaften Sinn verleiht.* Das sagt er
sich immer wieder und sucht dabei Sela Hubers Augen. Tiefliegend, voller Schwermut, wehrlos. Eine Wand.

Lars Belden greift nach dem einzigen Notizbuch mit einem
D auf dem Rücken.

Beim Verlassen des Schreibwarengeschäfts schlägt Sela Huber ihren Mantelkragen hoch.

»Der hier ist einer meiner Lieblingsläden.«

»Was machst du denn mit den ganzen Notizbüchern?«

»Ich schreibe sie voll.«

»Und worüber schreibst du?«

»Über alles Mögliche.«

»Über mich zum Beispiel?«

»Auch.«

»Wirst du es mir eines Tages vorlesen?«

»Nein…«

Lars Beldens Augen werden feucht.

»… ich schreibe nur für mich. Um den Dingen einen Platz zuzuweisen und Spuren zu hinterlassen, damit ich zu ihnen zurückfinde.«

»Ich habe drei- oder viermal ein Tagebuch angefangen, aber mir fehlt der lange Atem. Ich schreibe immer nur phasenweise, höchstens ein paar Wochen.«

»Vielleicht brauchst du es ja nicht.«

Das Brummen des Kühlschranks mischt sich mit dem unruhigen Trommeln des Regens ans Oberlicht zum Innenhof.

Lars Belden legt die ›Lachrimae‹ von Dowland auf und blättert in dem Notizbuch. Liest. Fast vermeint er Sela Hubers Stimme zu hören.

Tinte. Düne.

Heute schreibe ich zum ersten Mal aus der Distanz heraus, die Fakten liegen vor mir ausgebreitet wie eine Landschaft in weiter Ferne, irgendwo in der Vergangenheit. Ich weiß nicht, ob ich wiederfinden kann, was Stefan Lauder zerstört hat. »Kein Gedächtnis ist gut genug, um sich der Vergangenheit bis ins kleinste Detail zu entsinnen.« Stimmt. Wir können uns ihr lediglich annähern.

Lars Belden wiederholt laut seinen Namen. Stefan Lauder. Er erinnert sich nicht, ihn schon einmal gehört zu haben. Sela Huber hatte sich immer geweigert, von den Männern zu erzählen, mit denen sie einmal eine Beziehung gehabt hatte. Wenn Lars Belden ihr dennoch zusetzte – *Wenn man liebt, will man vermutlich alles unter Kontrolle haben. Die Vergangenheit, die Gegenwart und die Zukunft. Man will wissen, was vorher war, wo man jetzt steht, was einen erwartet ... Darin sehe ich nichts Verwerfliches* –, wurde alles von einer Mischung aus Angst, Schmerz und Kummer durchtränkt. Und ihre Stimme und ihre Augen verschleierten sich. Diese Stimmung hielt lange an, schwebte über ihnen wie eine undefinierbare Bedrohung.

Ich hätte nicht auf seine Erschöpfung bauen, sondern die Notizbücher genau wie sonst auch verstecken sollen. Aber diesen Fehler bemerkte ich erst, als ich nach Hause kam und es im Flur nach verbranntem Papier roch. Stefan saß vor dem angezündeten Gasherd und sah mich mit einem Lächeln auf den Lippen an. Seinem letzten Lächeln. Dem verletzendsten von allen, demjenigen, das sich über alle anderen legt und das ich häufig vor mir sehe, wenn ich die Augen schließe. Dem Lächeln der tiefsten Demütigung. Alles, was ich in den letzten Jahren aufgeschrieben habe, hatte sich in Asche verwandelt, die den ganzen Boden der Aluminiumspüle bedeckte. »Ich habe dir einen Strich durch die Rechnung gemacht.« Sonst sagte er nichts. Er hatte kaum die Kraft, sich wieder ins Bett zurückzuschleppen. Er mußte sich dazu auf die Möbel stützen, die unter seiner wankenden Gestalt erzitterten. Ich hörte ihn keuchen, während ich die abgerissenen Pappdeckel der Notizbücher einsammelte und mit Tränen in den Augen das Wasser aufdrehte, um die Spüle zu säubern. Zwei Stunden später ist er gestorben. Einmal mehr ist es ihm gelungen, mich am Kofferpacken zu hindern.

Doch jetzt geht es darum, das Ganze zu rekonstruieren. Stefan wurde mir auf einer Silvesterparty von einer Arbeitskollegin vorgestellt. Aus dem Wunsch heraus, das Fest einmal anders als sonst aufzuziehen, hatten wir beschlossen, daß jeder drei Freunde mitbringen sollte, die sich untereinander nicht kannten. So kam es, daß schließlich lauter Fremde miteinander feierten und tanzten bis in die frühen Morgenstunden. Stefan gefiel mir auf den ersten Blick. Seine Augen, seine Stimme, die Hände. Die Art, wie er sich kleidete. Sein Geruch. Die Tage danach brauchte ich nur die Augen zu schließen, um mich an ihn zu erinnern. Lavendel. Wir redeten über alles und nichts und ließen uns nicht aus den Augen, selbst wenn wir mit anderen tanzten oder sprachen. Gegen Morgen versprach er, mich anzurufen.

Er ließ sich vier Tage Zeit. Vier endlos lange Tage, an denen ich mich ständig dabei ertappte, wie ich an ihn dachte. Wir verabredeten uns im Operncafé, für den Spätnachmittag, wenn das letzte Tageslicht verrauchten Räumen ein ganz spezielles Gepräge verleiht. Noch heute kann ich ihn, wenn ich das Café betrete, an einem der hinteren Tische sitzen und mit einem freundlichen Lächeln auf mich warten sehen. Die Hände mit den langen, schmalen Fingern ohne Ringe und den leicht angeknabberten Nägeln vor ihm auf dem Tisch. Seine grauen Augen. Seine sanfte Stimme, in der jedoch auch eine Härte lauerte, die sich, so entdeckte ich zu spät, urplötzlich in ein Stilett verwandeln konnte, in einen Prankenhieb, der mir den Atem raubte. Er schenkte mir die CD, die er in der Silvesternacht erwähnt hatte. ›Ballads‹ von John Coltrane. Ich lege sie nicht mehr auf, das traue ich mich nicht, aber wenn ich zufällig ein Stück daraus höre, schnürt es mir die Kehle zusammen, und ich werde von einer Welle von Erinnerungen fortgerissen, so daß mir ganz schwindlig wird. Ich habe mir die Macht der Musik wenn irgend möglich immer zunutze gemacht, um Erinnerungen heraufzubeschwören, aber wenn ich von ihr überrumpelt werde, kann das verheerende Folgen haben. Dann kann sie zu einem ständigen Schatten, einem Fluch werden.

Stefan. Es ist schwierig, mit dieser Wut im Bauch von ihm zu erzählen. Denn nicht immer war er ein von Mißtrauen und Besitzansprüchen gequälter Mensch. Eine Zeitlang war ich mit ihm so glücklich wie nie zuvor. Ich fühlte mich auf eine noch nie dagewesene, intensive und bezaubernde Weise geliebt und gab mich dieser Leidenschaft hin, ohne die fatalen Folgen meiner emotionalen Abhängigkeit auch nur zu ahnen.

Lars Belden greift nach den Notizbüchern über Edmond Lenz. Sela Hubers kleine, kompakte Schrift hat sich kaum verändert. Vielleicht ist sie härter, kantiger geworden, genau wie ihr Gesicht.

Selten habe ich mich zu jemandem so hingezogen gefühlt. Mein Leben kreist nur um ihn, um alles, was er sagt und tut. Oft denke ich, ich habe nichts dazugelernt und bin nur imstande, Beziehungen mit einem hohen Grad an Abhängigkeit einzugehen. Aber zumindest finde ich es beruhigend, daß Edmond mir bis jetzt nie das Gefühl gegeben hat, einer Situation ausgesetzt zu sein, die mich zugrunde richtet. Wenn die Dinge kompliziert werden, habe ich hoffentlich den Mut, rasch zu handeln.

»Wie oft im Leben hast du dich verliebt?«

Sela Huber sitzt im Freien auf einer Bank und sieht ihm tief in die Augen.

»Dreimal, soweit ich mich erinnere.«

»Und meinst du nicht, daß du dabei immer dasselbe gesucht hast?«

»Tja, schwer zu sagen …«

»Es ist, als wollten wir unser eigenes Wesen jedesmal mit demselben Teil vervollständigen.«

»Und du?«

»Und ich was?«

»Wie oft im Leben hast du dich verliebt?«

»Manchmal denke ich, nur ein einziges Mal, aber das kann nicht sein. Die Zeit leistet ganze Arbeit, wenn es darum geht, das zu verfälschen, was von unseren Gefühlen übriggeblieben ist.«

»Ich liebe dich.«

Sela Huber umarmt ihn schweigend.

Jemand kommt die Treppe herunter und unterhält sich

mit einem Nachbarn, der sich auf dem Treppenabsatz von ihm verabschiedet. Im Spion wird es dunkel.

Lars Belden wandert in der Wohnung umher, damit ihm warm wird. In der Küche trinkt er Wasser direkt aus dem Hahn. Er zieht einen Filzstift aus der Tasche und streicht die letzten vier Tage aus dem Wandkalender, bis sie unter der schwarzen Farbe ganz verschwunden sind.

Schlamm. Staub.

Lars Belden geht in Sela Hubers Schlafzimmer und ergänzt in Gedanken die fehlenden Möbel.

Der Wind zerrt an der Plastikfolie, die irgendwo schützend über eine Wäscheleine gespannt ist. Das erinnert ihn an die erste Nacht.

Der Geruch ihres Pyjamas. Das Buch. Der Wecker. Der Stuck und die Risse an der Decke.

»Sieh mal da, der Umriß eines Uhus.«

Sela Hubers Haare kitzeln ihn.

»Mit offenen oder geschlossenen Augen?«

Sela Hubers Lachen vor dem Kuß. Ihre Umarmung. Ihre nackte Haut. Der Impuls der Wollust.

Lars Belden kehrt ins Regalzimmer zurück und setzt sich in den Sessel. Bevor er weiterliest, legt er noch einmal die ›Lachrimae‹ von Dowland auf.

Kurz nachdem wir zusammengezogen waren, begann Stefan sich zu verändern. Jetzt, aus der Distanz heraus, selbst wenn ich reinen Tisch machen und die Geschichte vergessen könnte, würde es mir wahrscheinlich eher auffallen. Solange ich mittendrin steckte, war das jedoch nicht so einfach. Nur allzuoft werden im Alltag die dunklen Bereiche des Zusammenlebens gestreift, ohne daß man Argwohn schöpft. Die Schutzmechanismen werden häufig erst dann aktiviert, wenn es zu spät ist. Als ich Stefan das erste Mal auf der gegenüberliegenden Straßenseite im Auto sitzen und die Tür des Restaurants überwachen sah, begriff ich, daß das kein Zufall war. Helga achtete nur aufs Essen und unsere Unterhaltung und bemerkte ihn nicht. Ich brachte es nicht fertig, es ihr zu sagen. Eine Mischung aus Selbstachtung und Wut hinderte mich daran. Ich verstand weder, was er eigentlich bezweckte, noch, warum er sich nicht einmal Mühe gab, unentdeckt zu bleiben, so als wolle er mir die fraglose Überlegenheit seiner Motive – welche auch immer das sein mochten – unter die Nase reiben.

An jenem Abend haben wir uns zum ersten Mal gestritten. Den Glanz in seinen Augen und die verletzende Härte in seiner Stimme werde ich nie vergessen. Ich ging zu Bett mit dem Vorsatz, ihn am nächsten Tag zu verlassen. Aber im Lauf der Nacht fand ich – keine Ahnung, wie – genügend Gründe, um zu bleiben.

In dem unlösbaren Dilemma gefangen, auf Stefan nicht verzichten zu können und gleichzeitig die besorgniserregende Entwicklung unserer Beziehung zu beobachten, entschied ich mich für die schlechteste aller Lösungen: einfach die Zeit verstreichen zu lassen. Anfangs war das ziemlich einfach, denn das Gefühl, überwacht zu werden, war irgendwie auszuhalten. Ich gewöhnte mich sogar relativ leicht daran. Ich lernte, die Momente zu nutzen, in denen Stefan – vor allem anfangs – die Kontrolle lockerte. Und ich lernte auch, mich zu verstellen und zu lügen. Wo? Mit wem? Warum? Immer dieselben ganz unverblümt gestellten Fragen, fast so, als sei die Antwort völlig unwichtig.

Doch schon bald ging es los mit der Gängelei. Vom Anrufbeantworter gelöschte Nachrichten, verschwundene Briefe, aufgebrochene Schubladen. Stefan traute keinem über den Weg. Er konnte einfach nicht akzeptieren, daß ich mit jemand anderem telefonierte oder essen ging. Nach und nach errichtete er eine Mauer aus Vorwänden, um uns sämtliche Leute vom Hals zu schaffen. Mein Leben mit diesem extrem besitzergreifenden Stefan führte zu einer allmählichen Loslösung von der Realität. Bis wir irgendwann völlig isoliert waren. Alles ging ganz langsam vor sich, fast unmerklich – »Weißt du etwas von …?«; »Seit Tagen haben wir … nicht gesehen«; »Hast du mit … gesprochen?«; »Sollten wir nicht mal wieder mit … ausgehen?« So wie ein Geschwür wächst.

Ich beugte mich seinem Willen, ohne mir dessen bewußt zu sein. Oder vielleicht auch, um Auseinandersetzungen zu vermeiden. Ich weiß es nicht mehr. Es fällt schwer, mir das Ausmaß meiner Resignation, meiner krankhaften Abhängigkeit einzugestehen. Außerdem hat das Vergessen die Zeit genutzt und mich der notwendigen Spuren beraubt, anhand derer ich mich selbst verstehen könnte. Die Funktionsweise des Gedächtnisses ist unberechenbar. Mit einem Mal steht man einfach ohne Erklärungen da, sogar wenn es um einen entscheidenden Teil des eigenen Lebens geht.

Im Laufe der Zeit, vor allem, nachdem ich mich mit den Leuten getroffen hatte, die auf die Zeitungsanzeige antworteten, wurde mir klar, daß Aufrichtigkeit sich selbst gegenüber eine Illusion ist. Die Tricks, mit denen man sich verteidigt und rechtfertigt, sind mächtiger als die Wahrheit und verbergen diese hinter einem Schleier, den man nicht zu zerreißen vermag. Man braucht sich gar keine große Mühe zu geben, um sich eine Geschichte zurechtzulegen, die unseren eigenen Erwartungen entspricht. Oder schlimmer noch: den Erwartungen der anderen.

Beim Umblättern stößt Lars Belden auf ein loses Foto von Sela Huber mit einem Mann in einem Garten. Schneeflocken lassen die Umrisse eines kleinen Palais verschwimmen. Lars Belden erkennt das Musée Rodin. Die Bänke, die Blumenrabatten, die sorgfältig beschnittenen Hecken, die menschenleere Terrasse des Cafés, die Fenster im Erdgeschoß, durch die er Sela Hubers einsamen Spaziergang im Garten beobachtet hatte.

»Ich bin gleich wieder da, ich gehe nur einen Moment raus.«

»Soll ich mitkommen?«

»Nein, nicht nötig. Ich will bloß ein wenig frische Luft schnappen.«

Sie war mit vom Weinen geröteten Augen zurückgekommen. Lars Belden hatte nichts gesagt. Auf dem Weg zurück ins Hotel hatte Sela Huber ohne ein Wort ganz fest seine Hand gedrückt.

Als sie überlegt hatten, zusammen zu verreisen, hatte Sela Huber sich für Paris stark gemacht.

»Ich will schon seit so vielen Jahren dorthin.«

»Ich glaube, dafür ist die Zeit zu knapp … Es sind nur vier Tage …«

»Besser als nichts. Zudem bin ich diejenige, die zu kurz kommt. Du warst ja schon mal da …«

Lars Belden kommt jetzt Sela Hubers geistesabwesende Miene während der vier Tage in den Sinn. *Nein, es ist alles in Ordnung. Ich bin sehr gern mit dir hier.* Er holt tief Luft, um das

beklemmende Gefühl loszuwerden, das ihm die Kehle zusammenschnürt. Er weiß, daß es ihm nicht gelingen wird. Er
versucht es schon, seit er begonnen hat zu lesen.

Die ›Lachrimae‹ von Dowland verstummen.

Der Wind rauscht. Die Zweige der Platane streifen über
das Balkongeländer.

Noch jetzt drückt es mir fast das Herz ab, wenn ich
das einzige Foto betrachte, das ich von Stefan habe.
Auf der Reise nach Paris, allein und fern von allem,
fanden wir zu dem liebevollen Umgang und der Gelassenheit der ersten Zeit zurück. Stefan war wie aus-
gewechselt. Ich erinnere mich vor allem an einen
Nachmittag im Garten des Musée Rodin. Es schnei-
te. Noch nie hatte ich mich jemandem so nahe
gefühlt. Nach der Reise wurde es jedoch noch
viel schlimmer als vorher. In den ersten schlaflosen
Nächten, die ich auf dem Sofa verbrachte, um Abstand von ihm zu gewinnen, kam mir der Gedanke, daß Stefan die Reise dazu benutzt hatte, um vor
dem entscheidenden Schlag Kräfte zu sammeln.
Eines Morgens stand Helga vor der Tür. Am Abend
zuvor hatte Stefan sie angerufen und ihr erklärt, sie
solle uns in Ruhe lassen, wir hätten die Nase voll von
ihr. Er hatte sie sogar bedroht. Sie solle *uns* in Ruhe
lassen, *wir* hätten die Nase voll von ihr: im Plural, als
sei das unser beider Meinung. Nie werde ich Helgas

bedrückte Miene vergessen. Nicht wegen Stefans Worten – sie hätte schon länger damit gerechnet, sagte sie –, sondern weil *ich* mich in eine solche Sackgasse manövriert hatte.

In jener Nacht schrieb ich einen langen Abschiedsbrief – ich fand nicht die Kraft, mit Stefan zu reden –, wollte aber auf den richtigen Moment warten, um ihn abzuschicken. Unterdessen beruhigte mich das Wissen, daß ich einen Entschluß gefaßt hatte und den Beweis in der Tasche oder zwischen den Seiten eines Buches versteckt mit mir herumtrug. Es gab mir das Gefühl, außer Gefahr zu sein. In den Momenten größter Verzweiflung berührte ich ihn, las ihn. Er war wie ein Rettungsanker.

Lars Belden legt die ›Lachrimae‹ von Dowland noch einmal auf.

Aber zur selben Zeit wurde Stefan krank. Er hatte schon eine ganze Weile Beschwerden, hatte mir jedoch nie etwas gesagt. Ärzte, Untersuchungen, Tests. Eine lange Reihe von Wartezimmern, wenig ermutigenden Diagnosen und allzu beredtem Schweigen. In den Tagen vor der Operation war alles, was ich wegen ihm durchgemacht hatte, wie ausgelöscht. Vermutlich nahm die Angst den ganzen Raum ein, auch den der Eifersucht und des Besitzanspruchs.

Als ich ihn so verängstigt und wehrlos daliegen sah, schob ich die Trennung hinaus. Er hatte doch nur mich. Fast niemand interessierte sich mehr für ihn, von seinen Arbeitskollegen mal abgesehen. Außerdem hegte ich in den langen Nächten voller Schmerzen und Alpträume die Hoffnung, daß die Krankheit ihn zum Nachdenken bringen würde. Oder daß sie mir den Mann zurückgeben würde, in den ich mich einst verliebt hatte. Wenn ich daran zurückdenke,w rd alles zu einem Mischmasch aus Kummer, schlechtem Gewissen, Schuldgefühlen und Hoffnung.

Mit den Jahren habe ich herausgefunden, daß man es im Leben nur mit einer ganz begrenzten Anzahl von Themen zu tun hat. In meinem Fall – und ich würde alles darum geben, wenn es nicht so wäre – ist das vorherrschende Thema die Schuld. Ich habe mich zu einer Virtuosin in Sachen Schuld entwickelt. Ich kenne sie bis in den letzten Winkel, alle ihre Tricks, alle ihre Hintertüren. Mein Leben ist eine Ansammlung von Schuldgefühlen. Wobei das intensivste und zugleich das, mit dem ich nie fertig geworden bin, darauf zurückgeht, Stefan nicht rechtzeitig gestoppt zu haben. Wenn ich das geschafft hätte, müßte ich jetzt nicht Edmonds Tod verantworten. Oder Lars' Schmerz.

Lars Beldens Augen verweilen auf seinem Namen.

»Hast du dich jemals schuldig gefühlt?«

»Das bleibt wohl keinem erspart, aber ich versuche, mich deswegen nicht verrückt zu machen.«

»Manchmal habe ich das Gefühl, viel zu viele Fragen mit mir herumzuschleppen. Was wäre passiert, wenn …? Was, wenn ich hierhin gegangen wäre anstatt dorthin? Was, wenn ich im richtigen Moment den Mund aufgemacht hätte? Jeder dieser Zweifel schließt das entsprechende Quantum Schuld für den womöglich begangenen Fehler mit ein.«

Lars Belden denkt an die Wochen nach der Trennung zurück: an die Tage im Hauseingang gegenüber, an seine Briefe, seine Anrufe. Vielleicht, sagt er sich, bin ich auch nicht damit fertig geworden, nicht genug getan zu haben, um dich ausfindig zu machen. Seit ich deine Wohnung zum ersten Mal wieder betreten habe, denke ich an nichts anderes. Ich will zumindest eine Erklärung, auch wenn ich nicht weiß, ob Erklärungen viel nützen.

Ein Mann, der einen Einkaufswagen voller Plunder vor sich herschob, war vor dem Hauseingang stehengeblieben.

»Du hast mir meinen Platz weggenommen.«

Lars Belden hatte ihn erschrocken angesehen.

Der Mann hatte indes nicht lockergelassen.

»Hast du mich nicht gehört oder was?«

»Doch, aber ich kann hier jetzt nicht weg.«

Mit niedergeschlagenen Augen hatte er rasch alles erklärt.

Der Mann hatte ihm zugehört, ohne ihn zu unterbrechen.

»Es ist besser, du vergißt sie und gehst nach Hause.«

»Aber irgendwas muß ich doch tun, oder?«

»Warum?«

Lars Belden hatte nicht gewußt, was er darauf antworten sollte.

Der Mann hatte mit der Zunge geschnalzt.

»Sag mir Bescheid, wenn du's dir anders überlegst, es gibt in dieser Gegend nicht viele geschützte Ecken wie die hier.«

Lars Belden konzentriert sich jetzt auf die Musik, um die Angst zu verscheuchen. Er versucht einem der Instrumente zu folgen, verliert es jedoch bald wieder. *Ich will nach Hause. Ich vermisse meine Sachen, vor allem das Regalzimmer. Doch wann wird das möglich sein? Lars überwacht die Wohnung noch immer. Schon seit acht Tagen.* Er versucht es noch einmal mit einem anderen Instrument. *Tropfen. Tränen. Selas Augen. Ich will dir auf keinen Fall weh tun. Wie bitte?*

Die Türen der Einäscherungskammer. Die Trauergäste, die sich ansehen, ohne zu wissen, was sie sagen sollen. Das fahle Februarlicht, das die Last der Traurigkeit noch verstärkt.

Asche. Staub.

Nach dem Eingriff gaben sie ihm nur noch wenige Monate zu leben. Stefan schluckte die Nachricht, ohne mit der Wimper zu zucken, als sei ihm das seit dem ersten stechenden Schmerz im Magen klar gewesen. Die drei Wochen im Krankenhaus verliefen ruhig. Wir waren den ganzen Tag allein und hatten viel Zeit zum Reden. Mittlerweile lebten wir genau in der Isolation, die Stefan immer so zielstrebig angesteuert hatte. Nur durch Zufall erfuhr ich von einer der Krankenschwestern, daß er ab und zu Besuch von einem Mann bekam. Sie sagte, sie hätte ihn schon drei- oder viermal gesehen. Er tauche immer auf, sobald ich gegangen sei.

Stefan wollte nicht darüber reden. Zum ersten Mal nach langer Zeit wurde seine Stimme wieder ganz rauh: »Das geht dich nichts an. Du wirst es erfahren, wenn es soweit ist.« Seine kantigen, fast schneidenden Gesichtszüge. Die bleigrauen Augen, erloschen. Eine braune Flüssigkeit rann durch den Schlauch, der in seiner Nase steckte. Die nächsten Tage legte ich mich auf die Lauer, aber der Mann erschien nicht.

Als man Stefan schließlich die Katheter entfernte und er aus dem Krankenhaus nach Hause kam, fiel er zum Teil wieder in alte Verhaltensweisen zurück. Körperlich war er zwar am Ende, aber seine Angst und sein Kontrollwahn waren nach wie vor noch da. Es schien, als könne er nicht akzeptieren, daß mein Leben nach seinem Tod weitergehen würde. Als kränke ihn mein bloßes Überleben. Er quälte sich mit unzähligen Fragen, die ihn nicht losließen:

»Wirst du mich vermissen? Was wirst du machen, wenn ich nicht mehr da bin? Wirst du dich in einen anderen verlieben?« Ich war nie ehrlich. Ich dachte an den Abschiedsbrief und verschanzte mich hinter einer Wand aus tönernen Worten. Zu mehr war ich nicht fähig. Es fiel mir schwer, ihn zu berühren, mich ihm gegenüber liebevoll zu geben. Im nachhinein bin ich mir nicht einmal sicher, ob ich mich anständig benommen habe. Er war kurz davor, das wenige zu verlieren, was ihm noch blieb: ein Rest Leben, das durch seine absurde Obsession ruiniert worden war. Oft denke ich, daß mir eine gewisse Distanz und Nüchternheit ihm gegenüber fehlte. Das hätte ihm geholfen, mit ein wenig Gelassenheit zu sterben. Oder ihn vielleicht sogar unvermutet in bezug auf mein Schicksal umgestimmt. Es ist immer das gleiche Lied: die Last der Schuld, die mich in die Tiefe zieht, bis mir das Wasser bis zum Hals steht.

Ich hörte ihn nicht fallen. Nachdem ich die Spüle gesäubert hatte, wusch ich mir lange die Hände. Es war, als säße mir der Geruch von verbranntem Papier in allen Poren. Danach ging ich ins Wohnzimmer, legte mich aufs Sofa und setzte mir den Kopfhörer auf, um mich von allem abzuschotten. Ich drehte die Musik voll auf und schloß die Augen. Seit damals riecht Hindemiths ›Trauermusik‹ nach verbranntem Papier. Ich verbinde mit ihr den Geruch meiner schwarzen Fingernägel und das plätschernde Wasser, das die Überbleibsel meines verkohlten Gedächtnisses wegspült. *Ich habe dir einen Strich durch die Rechnung gemacht.* Die Nacht, die sich an die Fensterscheiben drückt. Das Herz voller Kummer. *Ich habe dir einen Strich durch die Rechnung gemacht.* Stefan, der ganz allein stirbt. Die Kälte seines Körpers, die sich mit der Kälte der Fliesen verbindet und sich ausdehnt wie ein Blutfleck oder eine Galaxie. Ein weißer Riß, der die Lider zusammenschweißt. Ein übermäßiges, schwer zu vergessendes Schweigen auf den halbgeöffneten Lippen. *Ich habe dir einen Strich durch die Rechnung gemacht.* Der Nachhall seiner Stimme und seines letzten Lächelns. Des verletzendsten von allen, desjenigen, das sich über alle anderen legt und das ich häufig vor mir sehe, wenn ich die Augen schließe. Des Lächelns der tiefsten Demütigung. *Ich habe dir einen Strich durch die Rechnung gemacht.*

Was ich mir damals nicht hätte träumen lassen, war die doppelte Stoßrichtung seiner Drohung. Die totale Beschlagnahme. Meine Vergangenheit in der Küchenspüle, zu Asche zerfallen. Meine Zukunft ohne ihn, aber auch mit keinem anderen. Ein Leben in Einsamkeit. Vielleicht sogar ohne das, was von mir noch übrig war.

Am Tag nach der Beerdigung fand ich im Briefkasten einen weißen Umschlag mit einer Nachricht
von Stefan.

Lars Belden öffnet den Umschlag, der mit Tesafilm auf die
nächste Seite des Notizbuchs geklebt ist, und zieht ein zusammengefaltetes Blatt heraus.

Es bleibt alles wie bisher. Ich hoffe, Du wirst mein
Verschwinden nicht ausnutzen. Jemand wird Dich
überwachen.

Stefan

Die Diskrepanz zwischen der Hinfälligkeit der Schrift und
der zerstörerischen Schlagkraft der Worte läßt ihn erschau-
ern. *Es bleibt alles wie bisher.* Lars Belden stellt sich vor, wie
der von einem verheerenden Hirngespinst besessene Stefan
Lauder die Sätze wieder und wieder liest und mit zitternder
Hand an ihnen feilt, bis sie so scharf sind wie eine Rasier-
klinge. *Ich hoffe, Du wirst mein Verschwinden nicht ausnutzen.*
Der vor Nervosität beschleunigte Puls. Die Bewegung des
Kugelschreibers, die sich dem schwachen Rhythmus seines
Atems anpaßt. *Jemand wird Dich überwachen.*

Lars Belden denkt an Sela Huber: Wenn deine Theorie
stimmen würde, daß der Blick eines Menschen Spuren hinterläßt, könnte ich jetzt dieser Fährte des in eine Waffe ver-
wandelten Schmerzes folgen. Und vielleicht auch deinen

auf Stefan Lauders Sätze starrenden Blick, in dem die Angst wie ein Stigma eingebrannt ist.

Nach einem ganzen Tag in der Wohnung hatten sie einen Spaziergang gemacht.

»Ich bin mir sicher, daß jeder Blick auf der Oberfläche der Dinge Spuren hinterläßt. Wir können sie nur nicht wahrnehmen.«

Schweigen.

»Ich mag die Vorstellung, daß die Gegenstände, die Landschaften oder auch die Menschen Blicke speichern. Wenn wir sie erkennen könnten, fänden wir Zugang zum Gedächtnis eines Steins, eines Baumstamms, der Haut …«

Sela Huber war an der roten Ampel stehengeblieben, um ihm tief in die Augen zu sehen.

»Wenn ich doch nur diesen Blick an einem sicheren Ort aufbewahren könnte.«

Sätze, die ausgesprochen werden, ohne zu bedenken, welche Wirkung sie im nachhinein entfalten können, wenn sie urplötzlich wieder aus den staubigen Tiefen des Vergessens auftauchen und zielsicher die Schwachstelle finden, die unter zahllosen Schichten von Resignation oder der Angst vor einer unbegreiflichen Wahrheit verborgen ist.

Sätze. Tränen. Asche. Staub.

Das Telefon klingelt.

Lars Belden geht ins Wohnzimmer.

Dieselbe Stimme wie in der zweiten Nacht hallt in dem leeren Raum wider; inzwischen ist sie aber spröder, als habe die Ungewißheit des Wartens sie auf das Unabdingbare reduziert.

»Ich weiß nicht mehr, was ich denken soll … Wenn ich etwas getan habe, das dir gegen den Strich gegangen ist, brauchst du es mir doch nur zu sagen. Wir können doch über alles reden … Ruf mich an, sobald du kannst. Ich warte darauf …«

Kälte.

Die Straßenlaternen werfen ihr gelbes Licht auf Sela Huber mit dem Telefonhörer in der Hand.

Einige Sekunden lang hört sie zu. Reglos. Auf einmal verändert sich ihr Gesichtsausdruck. Spannt sich an, füllt sich mit Schatten. Die Falten werden tiefer. Ihr Mund zieht sich zusammen.

»Was willst du denn noch von mir?«

»…«

»Warum tust du mir das an?«

»…«

»Ist einmal nicht genug gewesen?«

Sela Huber legt auf und schlägt die Hände vors Gesicht. Sie stöhnt.

Lars Belden geht auf sie zu. Versucht sie zu berühren.

»Wer war das?«

Sela Huber schüttelt den Kopf und rückt von ihm ab. Sie weicht einen Schritt zurück.

»Niemand … Es war niemand.«

Sie schließt sich im Bad ein.

Lars Belden will ihr nachgehen, aber Sela Huber macht die Tür nicht auf.

»Laß mich. Ich will allein sein.«

Wenige Tage später hatte sie die Nachricht auf seinem Anrufbeantworter hinterlassen. *Es ist aus zwischen uns. Tut mir leid. Bitte such mich nicht. Ich hoffe, du kannst mir verzeihen.*

Lars Belden preßt die Stirn an die Fensterscheibe. Es läuft ihm kalt über den Rücken. Jetzt begreift er, daß Sela Huber damals mit Stefan Lauders Schatten gesprochen hatte. Die Antworten auf seine Fragen strömen im Epizentrum des Schmerzes zusammen. Wie immer kommt alles zu spät. Das Entscheidende, denkt er, erfahre ich erst, wenn es nichts mehr nützt und meine unsägliche Verzweiflung nur noch verstärkt.

Im Hauseingang auf der gegenüberliegenden Straßenseite, unter der dunklen Fassade voller Rinnsale, schläft jemand zwischen Pappdeckeln. Der Mann mit dem Einkaufswagen voller Plunder war jeden Tag vorbeigekommen. Manchmal hatte er ihn nur wortlos angesehen. Dann wieder hatte er ihm eine Frage an den Kopf geworfen.

»Wie war sie?«

»Warum *war*?«

»Weil du bald mit leeren Händen dastehen wirst. An den Gedanken solltest du dich besser gewöhnen.«

Nach diesem Gespräch war Lars Belden nach Hause gegangen und hatte alles getan, um Sela Huber zu vergessen.

Sein Atem beschlägt die Scheibe.

Der Regen rauscht durch die Dachrinnen. Kräuselt die Oberfläche der Pfützen. Nur hin und wieder durchbricht ein Auto das monotone Prasseln.

Lars Belden tauscht die ›Lachrimae‹ gegen die ›Trauermusik‹ von Hindemith aus. Geruch von verbranntem Papier. Schwarze Fingernägel. Wasser, das die Überbleibsel von Sela Hubers verkohltem Gedächtnis wegspült.

Tinte. Düne.

Stefans Tod kam mir wie eine Befreiung vor. Trotzdem mußte ich in den ersten Wochen ständig an ihn denken. Ich befürchtete, wenn ich auch nur einen Moment damit aufhörte, würde er es mitbekommen. Auf die eine oder andere Weise. Der Wortlaut seines Briefes ging mir unablässig durch den Kopf, überlagerte alles. Doch schon bald nach Stefans Tod, dem die Haut in den letzten Tagen wie welkes Efeu an den Knochen geklebt hatte, wich mein anfänglicher Schmerz einer Art Erleichterung. Allerdings wußte ich nicht, wie ich ohne ihn weiterleben sollte, wie mein Handeln ohne Stefans Einmischung und Gängelei wieder einen Sinn bekommen sollte. Die Last einer unkontrollierbaren Furcht hinderte mich daran, ein normales Leben zu führen. Bis Edmond auftauchte.

Die Leiche des blassen, aufgeschwemmten Edmond Lenz auf dem Seziertisch. Das Klirren der Metallwerkzeuge. Die monotone Stimme des Gerichtsmediziners. Das aufgedunsene Gesicht mit den offenen Augen.

Die übrigen Seiten des Notizbuchs füllen Erinnerungsversuche. Sela Huber hatte alles daran gesetzt, das von Stefan Lauder zerstörte Material aus dem Gedächtnis zu rekonstruieren, es war ihr jedoch nicht recht gelungen. Lars Belden bemerkt ihr Bemühen, präzise zu sein, sich auf genaue Daten und Orte festzulegen, spürt jedoch in jedem Wort, in jedem Leerraum das Beben des nicht mehr Rekonstruierbaren, die unstillbare Findigkeit des Vergessens.

Lars Belden läßt den Blick über die Regale schweifen. Er schlägt eines der Alben mit dem Buchstaben G auf dem Rücken auf und blättert darin. Sela Huber wollte immer Fotos machen. *Erinnerungen. All das sind Erinnerungen. Die Orte, die Kleidung, das Licht an jenem Tag.* Nicht enden wollende Spaziergänge. Ausflüge. Irgendeine Reise. Der Garten des Musée Rodin.

»Ich bin gleich wieder da, ich gehe nur einen Moment raus.«

»Soll ich mitkommen?«

»Nein, nicht nötig. Ich will bloß ein wenig frische Luft schnappen.«

Sela Hubers einsamer Spaziergang, wie sie an Stefan Lauder im Schnee denkt, wird zu einer weiteren Antwort im Epizentrum des Schmerzes. Heimliche Tränen.

Sela Huber auf der Terrasse des Cafés.

»Wenn du einen Moment deines Lebens verewigen könntest, welchen würdest du dann wählen?«

Sela Hubers Fragen. Voller Ungeduld, die sich auf ihre Augen, die Bewegungen ihrer Hände und ihres Körpers übertrug, als hinge von seiner Antwort mehr ab als bloß der Fortgang ihres Gesprächs.

Lars Belden denkt einen Augenblick nach.

»Eines Nachts, ich muß etwa neun oder zehn gewesen sein, habe ich mich mit meinem Vater auf die Lauer nach Sternschnuppen gelegt. Nie werde ich das Gefühl des Wartens vergessen oder die Namen der Sternbilder, die wie gläserne Mobiles an der Spitze seines ausgestreckten Fingers hingen. Obendrein habe ich damals aber auch etwas Grundlegendes entdeckt; keine Ahnung, warum – ich nehme an, ich habe die astronomischen Erklärungen meines Vaters auf meine Weise verstanden. Während sein Arm um meine Schulter lag und mein Blick auf das unendliche Firmament gerichtet war, erfaßte ich die ganze Großartigkeit meiner eigenen Bedeutungslosigkeit. Ich glaube nicht, daß ich jemals etwas wieder so intensiv erlebt habe.«

Schweigen.

»Und welchen würdest du wählen?«

Sela Huber antwortet nicht gleich.

»Einen verschneiten Nachmittag in einem Garten wie diesem.«

Die ›Trauermusik‹ von Hindemith verstummt.

Lars Belden räumt das Zimmer auf. Er legt das Foto von Sela Huber ins Album zurück. Geht in den Flur hinaus. Lauscht.

Bevor er aufbricht, will er Sela Huber jedoch noch einmal sehen. Er geht ins Bad und stellt sich vor den Spiegel, das Gesicht von einem alten, unauslöschlichen Schmerz zerfurcht.

Sela Huber umarmt ihn von hinten, während er sich rasiert.

»Vergiß nicht, daß jeden Moment alles aus sein kann.«

»Du und deine Geheimnisse.«

Selas wie hinter einer dünnen Eisschicht gefangene Augen waren mit einem Schlag traurig geworden.

»Ja, ich und meine Geheimnisse.«

Sie halten sich lange in den Armen. Schweigend. Nur auf den fragilen Rhythmus ihrer Atemzüge achtend.

»Wann wirst du mir endlich vertrauen?«

Sela Huber küßt ihn.

»Ich liebe dich, genügt dir das nicht?«

Lars Belden streicht ihr mit der Fingerspitze über die geschlossenen Lider.

Asche. Staub.

Das Geräusch eines Radios, einer Wasserspülung, einer sich schließenden Tür.

Lars Belden späht durch den Spion und geht dann langsam die Treppe hinunter. Er verspürt eine große Müdigkeit, die ihn nur schwer die Füße von den Stufen heben läßt, wel-

che vom milchigen Licht des neuen Tages kaum erhellt werden. Er tritt auf die Straße hinaus und geht im Regen davon,
ohne auf den Schatten zu achten, der ihn von der gegenüberliegenden Straßenseite aus beobachtet.

V

Alles ist unverändert. Die verwaisten Nägel an der Wand unterstreichen das Fehlen der Garderobe und der schwarz-weißen Luftaufnahme der Île de la Cité.

Nur Schatten.

Das unruhige Trommeln des Regens ans Oberlicht zum Innenhof mischt sich mit dem Geräusch eines Radios, einer Wasserspülung, einer sich schließenden Tür.

Lars Belden denkt über den Tag nach, der zu Ende geht. Im Vertrauen auf die heilsame Wirkung der Routine hat er versucht zu schlafen oder zu arbeiten. Aber Sela Huber ist ihm nicht aus dem Kopf gegangen.

Die Regale im Zimmer sind abgebaut, und überall stehen Kartons herum. Lars Belden geht hinein und sieht sich deprimiert um. Er spürt, daß er unter der Last der letzten durchwachten Nächte beinahe zusammenbricht.

Auf einem der Kartons liegt ein Video mit einer Nachricht.

Kurz vor ihrem Selbstmord hat Sela mich gebeten,
Dir alles zu erklären. Ich nehme an, das ist nun

nicht mehr nötig. Zumindest hoffe ich das, denn Dir bleibt nicht mehr viel Zeit. Ich kann nicht länger warten. Morgen lasse ich alles verbrennen, genau wie Sela es wollte, und gebe der Hausverwaltung den Wohnungsschlüssel zurück. Jetzt, wo Du die Wahrheit kennst, forsche nicht weiter nach. Ich habe es getan und bereue es bitter. Sei auf der Hut. Jemand überwacht das Haus.

Helga

Lars Belden muß an Helgas Augen denken, die ihn unverwandt ansahen, als er das Krematorium verließ. Einige Sekunden lang hatte zwischen ihnen ein unsichtbares Band bestanden. Dann war sie verschwunden. Und Lars Belden war allein im fahlen Februarlicht zurückgeblieben, das die Last der Traurigkeit noch verstärkt hatte.

Das Schweigen der Toten.

Lars Belden schaltet die Geräte an und legt das Video ein.

Ans Kopfende ihres Bettes gelehnt, kippt Sela Huber sich Tabletten auf die flache Hand. Sie schluckt sie und trinkt ein Glas Wasser. Deckt sich mit dem Federbett zu und schließt die Augen. Alles ganz langsam, als wolle sie die letzten Augenblicke von Bewußtsein in die Länge ziehen.

Eine Ewigkeit lang leistet das Standbild mit Sela Huber Lars Beldens Weinen Gesellschaft. Es reiht sich zu den Gesichtern, die er von ihr im Gedächtnis hat.

Tränen.

In das flackernde Licht einer Kerze getaucht, spielt Sela Huber mit einem Korkenzieher herum. Mit schwerer Zunge, der Blick getrübt vom Wein einer Feier, die nicht gut geendet hat.

»Ich habe nur einmal ernsthaft an Selbstmord gedacht, fand aber nicht den Mut dazu. Danach fing ich mich wieder und lebte weiter, als wäre ich über all das hinweg, was immer noch schmerzte wie eine schlecht verheilte Wunde. Ich weiß nicht, was ich damals schlimmer fand: weiterzuleben oder nicht den nötigen Mut gehabt zu haben, mich umzubringen...«

Sie schluchzt untröstlich.

»Laß mich nicht allein, bitte laß mich nicht allein...«

Asche. Staub.

Lars Belden reibt sich die Schläfen. Ich habe dich nie allein gelassen, denkt er, ohne es zu wissen, trotz der Distanz in den letzten Jahren, war ich immer bei dir. Mit Tränen in den Augen öffnet Lars Belden wahllos die Kartons auf der Suche nach dem Material mit dem Buchstaben G – *Ein Buchstabe. Ich bin nur ein Buchstabe. Ein Schnörkel. Schall und Rauch* –, und als er es findet, legt er ein Video und eine Kassette ein.

Die beiden Aufnahmen vermischen sich. Übertönen das Brummen des Kühlschranks, das Trommeln des Regens, das sporadische Geräusch eines Autos.

»Ist etwas mit dir?«

Lars Belden sitzt auf dem Bett und blättert in einem Buch.

»Nein, wieso?«

Sela Huber kommt von rechts herein, nackt, und umarmt ihn von hinten.

»Seit dem Anruf neulich bist du irgendwie komisch.«

Sie legt das Buch auf den Nachttisch und zieht ihn aus.

»Nichts Wichtiges, das ist meine persönliche Angelegenheit.«

Sie sagen kaum etwas.

»Ja, wie immer. Deine persönliche Angelegenheit … Wann begreifst du endlich, daß diese Dinge auch mich etwas angehen?«

»Ich mag dein Parfüm.«

»Ich weiß nicht, ob wir zusammenbleiben können.«

»Es ist Jasmin.«

»Ob wir was?«

Die ›Gigue‹ von Lonati, die wieder und wieder erklingt, umschmeichelt die Körper in ihrer geschmeidigen Gelassenheit wie eine Litanei.

»Zusammenbleiben. Ob *ich* mit dir zusammenbleiben kann.«

Sela Hubers vor Leidenschaft entflammte Blicke.

»Warum?«

Ihre Hände, unruhig wie Vögel.

»Ich weiß es nicht.«

Der Impuls der Wollust.

»Ich nehme an, du weißt nicht, wie du es mir beibringen sollst. Das ist es doch, oder?«

Ihr Atem, der sich in schläfrigem Schweigen zu verlieren scheint.

»Vielleicht, aber ich will dir auf keinen Fall weh tun.«

Die ›Gigue‹ von Lonati.

»Wie bitte?«

Lars Belden läßt die Bänder weiterlaufen und öffnet die Kartons mit seinen Geschenken. Bücher, CDs, ein Halstuch, ein Anhänger, zwei Eintrittskarten für ein Konzert, eine Zeichnung, eine Feder, ein Parfüm, ein Blumenstrauß, luftdicht in durchsichtige Plastikfolie eingeschweißt. Lars Belden reißt sie auf und berührt die ausgebleichten Blumen. Die Blüten zerbröseln ihm zwischen den Fingern.

Asche. Staub.

Als er in einem der Bücher blättert, fällt ein Zettel heraus.

Lars Belden erkennt Sela Hubers kleine, kompakte Schrift wieder.

Lieber Lars,

ich weiß nicht, wo ich anfangen soll. Vielleicht mit meiner Dankbarkeit. Denn Du hast erreicht, daß ich mich lebendig, glücklich und geliebt gefühlt habe. Ich wußte schon gar nicht mehr, wie das ist. Aber wie Du siehst, ist es nicht genug. Manchmal sind die Dinge nicht so einfach, vor allem, wenn sie sich unserem Willen entziehen. Ich liebe Dich, auch wenn es Dir schwerfallen mag, das zu glauben. Hoffentlich findest Du hier die Erklärung, die ich

Dir heute nachmittag nicht geben konnte. Mir hat der Mut gefehlt. Ich wollte Dir nicht weh tun, das habe ich Dir ja bereits gesagt. Vielleicht wird es leichter, wenn ich Dir diesen Brief schreibe. Nach Edmonds Tod habe ich mir geschworen, mich nie wieder zu verlieben. Ich errichtete eine Mauer zwischen der Welt und mir und tat alles, um mit der Einsamkeit fertigzuwerden. Mit der Zeit gelang es mir auch. Du wärst überrascht, wenn Du wüßtest, wie leicht es ist. Man braucht nur genug Distanz und muß lernen, nicht aufzufallen. Erst durch Dich wurde alles anders, denn Du hast Dich in mein Leben geschummelt, als ich es am wenigsten erwartet habe. Wenn ich das gewußt hätte, als mein Lektor mich anrief und mir von Dir erzählte ... Aber die Versuchung, auszuprobieren, ob sich etwas verändert hatte, war wohl einfach zu groß. Vor Edmonds Verschwinden, als ich noch dachte, daß ...

Der Brief bricht mitten im Satz ab.

Lars Belden starrt auf den Leerraum, den die folgenden Worte ausfüllen müßten.

Tinte. Düne. Schweigen.

Er hebt den Blick von dem Brief und sieht Sela Huber an einer Steilküste stehen. Die Wellen stieben empor wie ein Schwarm aufgescheuchter Vögel. Mit zerzaustem Haar und wehendem Mantel dreht Sela Huber sich lachend im Kreis, sie ruft etwas, aber die Kamera zeichnet nur das Tosen des Sturms und Lars Beldens besorgte Stimme auf.

»Paß auf! Geh nicht so dicht an die Klippen!«

Lars Belden denkt an Sela Huber, wie sie sich im Hotelzimmer das Haar trocknet.

»Stell dir vor, du wärst gestolpert...«

»Meinst du nicht, du übertreibst ein bißchen?«

»Ich ertrage die Vorstellung nicht, dich zu verlieren. Ich weiß nicht, wie ich ohne dich leben könnte.«

»Nur die Ruhe, so leicht wirst du mich nicht los.«

Das war das einzige Mal gewesen, daß Sela Huber nicht auf das eventuelle Ende ihrer Beziehung, auf die ständige Möglichkeit einer Trennung verwiesen hatte.

Allmählich übermannt ihn der Schlaf.

Die Stunden verrinnen wie das Regenwasser. Tropfen. Gleiten über die schwarzverfärbten Fugen der Gehwegplatten.

Bis er von dem Geräusch des Videos wach wird, das sich am Ende selbsttätig aus dem Gerät schiebt.

Lars Belden schlägt die Augen auf und spürt den bitteren Nachgeschmack eines Traums, an den er sich nicht mehr erinnert. Es fällt ihm schwer, sich zu orientieren.

Kälte.

Im Bad macht er sich frisch und betrachtet im Spiegel sein tropfnasses Gesicht.

Sela Huber küßt ihn.

»Ich liebe dich, genügt dir das nicht?«

Lars Belden streicht ihr mit der Fingerspitze über die geschlossenen Lider.

»Doch, aber da sind so viele offene Fragen.«

Lars Belden trinkt direkt aus dem Wasserhahn. Er geht durch die leeren Zimmer. Ergänzt in Gedanken die fehlenden Möbel und macht einen Bogen um sie, als könnte er sich an ihnen stoßen. Beim Anblick von Sela Hubers Schlafzimmer würde er sich am liebsten ins Bett legen und an ihrem Pyjama schnuppern, an dessen Geruch er sich schon nicht mehr erinnern kann. Oder laut in dem Buch auf dem Nachttisch lesen, als läge sie neben ihm und hörte ihm mit geschlossenen Augen zu. *Ach komm, bitte, lies noch ein bißchen weiter. Du kannst doch nicht mittendrin aufhören. Komm, nur noch ein Kapitel.* Lars Belden steckt die Hand in die Tasche und tastet nach dem Lesezeichen. Er läßt den Blick über den Stuck und die Risse an der Decke schweifen, kann aber keine einzige Figur mehr entdecken. *Ein Vogel? Wo denn?* Er lauscht in die Dunkelheit, um Sela Hubers schlafendes Gesicht wiederzufinden: den Bogen ihrer Augenbrauen, die Rundung der Wangenknochen, die Konturen der Lippen, das Grübchen am Kinn.

Der Wind zerrt an der Plastikfolie, die irgendwo schützend über eine Wäscheleine gespannt ist.

Kälte.

Lars Belden geht ins Wohnzimmer zurück.

Das gelbe Licht der Straßenlaternen läßt die Pfützen glitzern.

Als er einen Blick auf die Straße wirft, glaubt er Sela Huber zu erkennen. Reglos. Die Augen auf das Fenster gerichtet, an dem er steht.

Lars Belden stürzt die Treppe hinab und läuft über die Straße, ohne nach rechts und links zu sehen. Er bleibt stehen.

Der Gehweg, menschenleer und glänzend vor Nässe.

Da ist niemand.

Nur der Regen und Sela Hubers Fenster inmitten der schwarz verfärbten Fassade.

Rinnsale.

»Ich habe dir doch gesagt, du sollst sie vergessen.«

Der Mann mit dem Einkaufswagen voller Plunder tritt aus dem Schatten des Hauseingangs.

Erschrocken schnellt Lars Belden herum.

Die verbrauchte, rauhe, beinahe verzerrte Stimme des Mannes überrumpelt ihn. *Ich dachte, es sei alles klar. Ich verstehe nicht, warum du nicht die Finger von ihm läßt. Denk an Edmond Lenz.*

Lars Belden weicht zurück, stolpert, fällt. Er rappelt sich wieder auf und hastet die Treppe hoch, drei Stufen auf einmal nehmend. Er greift nach dem Telefon, legt jedoch wieder auf, noch bevor er eine Nummer gewählt hat. Eine dunkle Ahnung steigt in ihm auf, als ihm Helgas Worte wieder in den Sinn kommen. *Jetzt, wo Du die Wahrheit kennst, forsche nicht weiter nach. Ich habe es getan und bereue es bitter. Sei auf der Hut.* Lars Belden holt tief Luft, um das beklemmende Gefühl in seiner Kehle loszuwerden, doch es gelingt ihm nicht.

Der Geruch seiner durchnäßten Kleidung vermischt sich mit der abgestandenen Luft im Wohnzimmer.

Lars Belden geht in Sela Hubers Regalzimmer zurück. Er legt die ›Lachrimae‹ von Dowland auf. Sucht ein weißes Blatt Papier und zieht seinen Filzstift aus der Tasche. Schreibt.

Gerade habe ich Dich auf der Straße gesehen. Du hast im Regen zum Fenster Deiner Wohnung hochgestarrt. Aber nach so vielen durchwachten Nächten weiß ich wahrscheinlich schon nicht mehr, was ich tue. Eine Fata Morgana. Du bist zu einer Fata Morgana geworden, Sela. Mit dem Auftrag, Dein Buch zu übersetzen, hat sich mein Leben verändert. Bevor ich Dich kennenlernte, hatte ich nie das Gefühl, am Ende von irgend etwas angekommen zu sein, an einem Wendepunkt, an dem man seine Strategie ändern muß. Obwohl ich die wenigen Gelegenheiten, die sich mir geboten hatten, nie klar erkannt hatte, wurde ich das Gefühl nicht los, etwas versäumt zu haben. Mit Dir wurde alles anders. Ohne es zu wollen, hast Du mir eine der intensivsten Phasen meines Lebens geschenkt.
Die Jahre haben mir all meine Erwartungen genommen, nur Dich nicht. Aber Du mußtest erst

sterben, damit ich begriff, daß meine Bemühungen, Deinen Verlust nicht an mich herankommen zu lassen, nichts genützt haben. Sie waren auch gar nicht nötig. Denn ich habe nie wieder jemanden wie Dich getroffen. Oder vielleicht doch, aber ich konnte nicht mehr das gleiche empfinden. Es ist, als hättest Du einen Träumer aus mir gemacht, der etwas unwiederbringlich Verlorenem nachjagt.

Vor kurzem habe ich gelesen, es sei ein Verbrechen, jemanden zu überleben, den man liebt. Das mag man übertrieben finden, aber als ich Deine Todesanzeige in der Zeitung gesehen habe, schoß mir etwas Ähnliches durch den Kopf. Mir war elend zumute, weil Du gestorben warst, aber auch – selbst wenn ich das erst später begriff – wegen der simplen Tatsache, Dich überlebt zu haben. Es war, als hätte ich es nicht verdient, ohne Dich zu leben. Jetzt weiß ich, daß das ein Irrtum ist. In den Nächten hier in Deiner Wohnung, in der Du immer noch gegenwärtig bist, ist mir klargeworden, daß ich mich getäuscht habe. Zu wissen, daß Du mich damals verlassen hast, um mir das Leben zu retten, verändert alles. Als Überlebender werde ich Dich bis zu meinem letzten Atemzug lieben können. Das wird mein Privileg sein. Niemand wird je davon erfahren. Niemand. Es wird unser Geheimnis bleiben, das einzige, das wir jemals geteilt haben. Wenn Du

Dich auf der Terrasse eines Cafés neben mich setzen und mich noch einmal nach dem Moment in meinem Leben fragen könntest, den ich gern verewigen würde, dann würde ich antworten: die letzten fünf Nächte, zusammen mit der Erinnerung an meinen Vater, wie er mir die Sternbilder an einem gleichmütigen Himmel zeigt.

Stefan Lauder hat die Partie verloren. Die Vergangenheit und die Zukunft gehören uns. Uns allein. Was auch immer geschieht, ich habe den Rest meines Lebens, um meine Erinnerung an Dich lebendig zu halten. Bis der Schatten des Todes an irgendeinem Tag, vielleicht an einem so kalten und regnerischen Tag wie heute, unserem Schweigen die ewige Ruhe gewährt.

Lars Belden faltet das Blatt zusammen und steckt es zu den anderen Briefen. Er schaltet die Geräte aus. Packt alles in die Kartons und verschließt sie mit Klebeband.

Als er fertig ist, sieht er sich um. Ganz langsam. Ein Gefühl von innerem Frieden durchströmt ihn.

Das fast leere Café. Die Übersetzung auf dem Tisch.

»Sela?«

»Ja, und du bist bestimmt Lars, oder?«

»Ja. Wartest du schon lange?«

»Nein, noch nicht lange.«

»Genau so habe ich mir dich vorgestellt.«

Lars Belden nimmt nicht gleich die seltsame Ruhe wahr, die ihn umgibt. Für einen Moment, den er gern unendlich in die Länge ziehen würde, wie einen vor dem Vergessen und dem Tod geschützten Raum, fühlt er sich vor den Fallstricken des Schicksals gefeit.

Der Regen verstummt.

Nur das Geräusch eines Radios, einer Wasserspülung, einer sich schließenden Tür ist noch zu hören.

Lars Belden tritt ans Wohnzimmerfenster und läßt sich vom purpurnen Schweigen der Morgendämmerung umfangen.

Mein Dank gilt Javier Cisneros, Xavier Cortés, José Antonio de Juan, Marta Marfany, Eduard Márquez, Ramón Minguillón, Elsa Otero, Zoila Paradela, Carmen Ponce, Mercè Pujades, Andreu Rossinyol und Ramon Solsona für ihre Anmerkungen und Vorschläge.

Eduard Márquez

Das Gedicht ›Das Schweigen der Toten‹ (›El silenci dels morts‹) stammt von Joan Vinyoli.
›Und schon ist es Abend‹ stammt von Salvatore Quasimodo und wurde der zweisprachigen Ausgabe ›Das Leben ist kein Traum. Ausgewählte Gedichte‹ (München 1987) entnommen; aus dem Italienischen übertragen von Gianni Selvani.